*LE*

# LÉVITIQUE

*Ce fascicule a été revu, pour le Comité de Direction, par M. l'abbé* Trinquet, *P. S. S., Professeur au Grand Séminaire d'Issy, et par M.* Michel Carrouges.

# LA SAINTE BIBLE

*traduite en français*

sous la **direction** de l'École Biblique de Jérusalem

# LE

# LÉVITIQUE

*traduit par*

## H. CAZELLES, P. S. S.

Professeur
à l'Institut Catholique de Paris

*(2e édition revue)*

**LES ÉDITIONS DU CERF**

29, boulevard Latour-Maubourg, Paris

1958

NIHIL OBSTAT :
J. Pressoir, P. S. S.

IMPRIMATUR :
*Lutetiae Parisiorum,*
*die 12ᵃ novembris 1950.*
Petrus Brot,
vic. gen.

# INTRODUCTION

Ce troisième livre de la loi de Moïse, plus encore que les autres, demande une introduction. Très typiquement judaïque, il peut déconcerter le lecteur moderne de la Bible. Celui-ci aura tendance à le laisser, pour retrouver au livre des Nombres, avec les étapes au désert et les anecdotes de Balaam, quelque chose qui lui rappelle la vivacité ou le coloris des récits de la Genèse ou de l'Exode. Abordant le Lévitique, il aura l'impression de retrouver le genre descriptif, énumératif et minutieux des chapitres de l'Exode qu'il aura le moins goûtés. De fait ces dernières pages, relatives au sanctuaire et à son mobilier, sont apparentées au Lévitique et à une bonne partie du livre des Nombres. Leur genre et leur génie sont si loin du nôtre qu'il faut un réel effort pour pénétrer leur mentalité. Mais cette difficulté tient plutôt à leur forme. Leur fond religieux est de première importance : ils nous livrent une des clés du culte chrétien et de sa symbolique et ils tiennent dans l'histoire des religions une place centrale.

**Le contenu.** Le Lévitique tente tout d'abord une synthèse des sacrifices pratiqués en Israël. Tâche épineuse s'il en fut. La chose n'avait pas été faite auparavant et, chez ce peuple ouvert à toutes les influences, les rites les plus disparates avaient pris place. Là comme ailleurs nous pouvons voir en Israël un carrefour de l'Ancien Orient et admirer sa puissance d'assimilation. Les Cananéens lui ont transmis nombre de leurs coutumes, trop même; le culte israélite leur a certainement beaucoup emprunté. Par eux il rejoint les cultes agraires de la préhistoire. Mais ce n'est pas tout. Sur cette terre traversée par tous les courants, les influences assyro-babyloniennes et égyptiennes ont agi, avant comme après Moïse. Les Hébreux dans leur culture humaine ont leur dette envers les Sémites de l'Est et par eux envers les lointains Sumériens; leur dette n'est pas moindre à l'égard de la civilisation égyptienne, elle-même si complexe.

Enfin et surtout, les Israélites avaient leur propre fonds, qui leur venait de leurs ancêtres nomades, et ils lui ont été fidèles. Ils conservaient ainsi, d'une part, une autre forme encore des cultes préhistoriques. Et d'autre part, ayant reçu d'Abraham une Foi et de Moïse une Loi, c'est en fonction des principes de cette Révélation transcendante que leur élite religieuse a fait le tri entre toutes ces coutumes, et qu'elle organisa le culte du Dieu du Sinaï.

Chaque société trouve dans la nature ses moyens de subsistance. Cette donnée essentielle de sa vie se retrouve dans le culte qu'elle rend à la divinité, maîtresse de cette nature. Une société chasseresse centrera son culte sur le gibier qui lui assure le plus clair de sa subsistance et c'est dans ces espèces animales qu'elle cherchera les représentations qui évoquent pour elle la vie; on sait la valeur religieuse des dessins d'animaux que les peuples de la préhistoire nous ont laissés dans leurs grottes. Une société pastorale immolera dans son culte du petit ou du gros bétail, une société agricole consommera rituellement des produits de la terre. Tout cela se retrouve dans le rituel des sacrifices du Lévitique. Fidèle à ses origines mosaïques, l'Israélite religieux a conservé les rites primitifs, en même temps qu'il en acceptait de nouveaux. Le Lévitique toutefois donnera la première place au sacrifice antique, sacrifice d'animal, surtout à l'holocauste, et l'offrande végétale n'aura qu'un rôle secondaire (voir aussi Nb **15**), comme trop marquée par le culte cananéen et ses abus (cf. Am **4** 5). L'ensemble de ces dispositions sur le sacrifice constitue la première partie du livre (**1-7**).

Pour assurer la bonne exécution des rites sociaux, il faut une autorité qui préside à ces fêtes où vibre dans la joie cette communauté entière; c'est le rôle du sacerdoce. Il y a le sacerdoce du père de famille, le sacerdoce du patriarche, le sacerdoce du roi. C'est le chef de communauté, père, patriarche ou roi, qui immole la victime consacrée par laquelle est rendu possible le banquet sacré où les membres vivent leur vie commune, entre eux et avec leur dieu. Cependant, dès qu'une société devient un peu complexe, comme l'État d'Israël, le roi doit confier ce rôle sacerdotal à des prêtres spécialisés. Ainsi David, tout en exerçant lui-même un sacerdoce (2 S **24** 25), choisit cependant pour prêtres Ébyatar et Sadoq (2 **20** 25), et Salomon ne garda à ce poste que Sadoq. Les sadoqites conservèrent le sacerdoce de Jérusalem pendant toute la durée de la monarchie. On sait que David et Salomon s'inspirèrent beaucoup du modèle égyptien, on ne s'étonnera donc pas de trouver dans le Lévitique bien des détails vestimentaires et cultuels analogues à ceux d'Égypte. Mais d'autres viennent des Cananéens. D'autres encore, et les plus importants, ainsi l'arche d'alliance, paraissent remonter à la période qui précéda la conquête. En tous cas ce n'est pas à David, fondateur de la monarchie, que le Lévitique entend faire remonter le sacerdoce yahviste, mais à Moïse, le chef qui n'avait pas pénétré en Canaan et incarnait l'idéal antique. C'est lui qui institue au nom de Yahvé le sacerdoce d'Aaron et de ses fils (ch. **8-10**).

Et ceci d'autant plus que ce sacerdoce lévitique n'avait pas pour seule fonction l'immolation rituelle. Il devait aussi transmettre au peuple les volontés de Yahvé. Les hommes auxquels David confia le Sanctuaire de Jérusalem étaient depuis longtemps consultés, à Gabaôn ou ailleurs; en cas difficiles on venait leur demander la réponse divine, la parole de Dieu. On ne le faisait pas toujours, certes, et Isaïe dut blâmer ceux qui consultaient les morts au lieu de consulter le Dieu vivant sur la montagne de Sion (Is **8** 18 s). Là étaient gardées les tables de la Loi, le Décalogue mosaïque, fondement de la justice par laquelle voulait régner le Dieu saint (Is **28** 16 s).

Le sacerdoce donne les applications pratiques de ces commandements et l'ensemble de ces prescriptions s'est trouvé codifié dans la Loi de sainteté qui constitue le fond de la quatrième partie du Lévitique (ch. 17-26). Bien des coutumes d'origine cananéenne ou étrangère ont pu y prendre place, mais la synthèse en est faite autour de quelques idées profondément mosaïques : le peuple est un peuple à part qui doit être saint comme son Dieu est saint, Yahvé a choisi un peuple dont les membres sont liés non seulement par les liens du sang, mais aussi par une charité fraternelle profonde et exigeante (19 18 : tu aimeras ton prochain comme toi-même) dont la source n'est pas à chercher ailleurs que dans les commandements de la seconde partie du Décalogue, expression de l'austère morale du temps du désert.

Reste la troisième partie du Lévitique, constituée par la loi de pureté (ch. 11-16). La communauté israélite est sainte et vit de la vie sainte de Yahvé; mais pour vivre la vie de cette communauté, les membres doivent être individuellement en état de pureté. On sait combien de tabous doivent respecter les primitifs, combien les modernes craignent les contagions ! Il y avait de tout cela en Israël, bien autre chose encore, et le tout a donné naissance à ces règles de pureté. La pureté étant la condition nécessaire pour participer à la vie cultuelle et sociale, c'est encore au sacerdoce qu'incombait la charge de trancher les cas litigieux; le Lévitique nous a conservé une sorte de coutumier des solutions et procédures adoptées. Là encore le texte biblique représente un effort de clarification et de synthèse d'usages aux provenances les plus diverses; les rituels ont été marqués par l'esprit de la loi des sacrifices et par la notion de péché, transgression aux prescriptions de la loi mosaïque.

**Le rituel.** Le Lévitique reflète ainsi l'esprit du Décalogue et l'esprit des Prophètes qui, avec tant d'insistance, ont rappelé aux Israélites les exigences morales de Yahvé. Mais ce n'est à proprement parler ni un traité de morale (malgré les ch. **18** à **20**), ni un discours prophétique (malgré le ch. **26**). Ce n'est pas non plus un code juridique mais c'est essentiellement un rituel : rituel des fêtes (**23**), rituel de purification (**14**) et d'expiation (**16**), rituel de l'installation des prêtres (**8-9**), rituel enfin des sacrifices (**1-7**). On peut même dire que ce dernier pénètre tout l'ensemble et il est bon dès maintenant de donner un tableau de ces sacrifices pour en dégager, autant que faire se peut, la notion et le sens.

1. L'*holocauste* est un sacrifice fort ancien en Israël : l'animal y est tout entier consumé. Il n'est pas connu des Assyro-Babyloniens, mais de l'Égypte, où il fait d'ailleurs figure d'étranger et ne se répand qu'après l'époque hyksos (1700-1600). En Israël, il semble avoir toujours été pratiqué et tient la première place dans le livre des Juges (**6** 19 s; **13** 19 s); on l'offre comme une action de grâces lorsque la présence de Dieu s'est manifestée. C'est une prière de remerciement répondant à une faveur divine et l'ange de Yahvé monte ('*âlâh* chez les Hébreux qui appellent ce sacrifice '*ôlâh*) dans la fumée, unissant ainsi le fidèle et son Dieu. L'holocauste a valeur expiatoire en Lv **1**, mais ce caractère n'apparaît pas dans les holocaustes anciens (Gn **8** 20; **22**; Jg **6** 19 s, 26; **11** 31; **13** 15 s; 1 S **6** 15; **7** 9; 1 R **18** 25 s).

2. Le *sacrifice de communion,* dit souvent « sacrifice pacifique » et qu'il faudrait peut-être plus exactement dénommer « sacrifice de plénitude », appartient à une catégorie de sacrifices très répandue chez les Sémites et ailleurs. C'est un banquet sacré (Ex **24** 11) consommé par les fidèles chez la divinité et avec elle; c'est à elle que sont dévolues les parties les plus vitales comme les graisses qui entourent les viscères (1 S **2** 16). Ce joyeux repas de fête est conservé et réglementé dans le Deutéronome (**12**). Le Lévitique ne lui donne qu'un rang inférieur (dans le ch. **7** en particulier), car sous la monarchie il avait donné lieu à beaucoup de licence. Tandis que l'holocauste était en principe un sacrifice occasionnel, le sacrifice de communion était le rite central des fêtes régulières; on pouvait cependant en offrir exceptionnellement à titre volontaire

(Am **4** 5). C'était le sacrifice qui exprimait par excellence la communauté de vie entre les fidèles et la divinité.

3. Ces deux sacrifices sont des sacrifices de nomades ou de semi-nomades, donc d'époque mosaïque. L'*oblation* est au contraire un sacrifice de sédentaires (cf. Gn **4** 3). C'est une offrande des produits du sol dont on brûle une poignée de farine mélangée d'huile, de même que dans l'holocauste on brûle la graisse de l'animal. Une telle offrande de farine s'appelle *'azkârâh,* sans doute d'après les premiers mots de la prière qui accompagne l'oblation (« Je veux rappeler... »; cf. prière et rite analogue en Dt **26** 1 s). Le sacrifice avec *louange* (*tôdâh* : **7** 12; **22** 29; cf. Am **4** 5) implique une prière de ce genre dans laquelle on célèbre la grandeur de Dieu, mais il y a là une forme du sacrifice de communion tandis que l'oblation du Lévitique est plutôt une imitation de l'holocauste.

4. Le sacrifice de *réparation* (litt. « de culpabilité » ou plus exactement « de responsabilité » car il ne suppose qu'une faute inconsciente) est également un ancien sacrifice sémitique. Il est offert en cas d'atteinte involontaire aux droits de la divinité. Il pouvait être acquitté par le paiement d'une amende, aussi bien en Arabie que chez les Phéniciens (le *kalîl* du tarif de Marseille selon le P. Lagrange et M. Dussaud) et sous la monarchie israélite (2 R **12** 17). Dans le Lévitique il a conservé un caractère de pénalité pécuniaire avec estimation et majoration d'un cinquième, mais il y joint l'immolation d'une victime et même une confession de la faute (**5** 5).

5. Le sacrifice *pour le péché* en est très proche. Il est né de l'assimilation aux fautes rituelles contre la divinité (**5** 1-7) des fautes contre le prochain telles que les définit la loi de Yahvé. Le Lévitique considère en effet, par application des principes du Décalogue, toute faute contre le prochain comme une faute envers Yahvé. Ce sacrifice ne comporte une amende que secondairement. C'est avant tout un sacrifice expiatoire où par l'imposition des mains l'animal est identifié à l'offrant coupable et va expier pour lui. Assyriens et Syriens avaient dès le VIIIe siècle av. J. C. fait la théorie de cette substitution :

« Cette tête n'est pas la tête du bélier, c'est celle de Matti'ilu », dit un traité de cette époque à propos du sacrifice d'un bélier représentant le roi coupable en cas de transgression du pacte. Mais si la théorie de la substitution était connue, il appartenait au Lévitique de rattacher pareille substitution à l'expiation des fautes contre la loi révélée. C'est précisément à ce sacrifice que le livre a attaché le plus d'importance dans sa synthèse et il a même interprété l'holocauste comme un sacrifice de ce genre (1 4).

6. L'offrande *d'encens ou de fumée odorante* conserve le sens d'adoration joyeuse qu'elle avait à l'origine. Très répandue chez les non-yahvistes, le Lévitique ne lui est pas très favorable. Elle est en principe exclue du sacrifice pour le péché et des sacrifices à caractère expiatoire. Mais on tend à y assimiler les combustions de viandes et de graisses, les « mets consumés », agréés par Yahvé « en parfum d'apaisement ».

7. Cette expression, « *mets consumés* », ne désignait d'abord que les mets offerts à Yahvé (*'iššéh,* écrit EŠ en assyrien) dont une part était attribuée au prêtre (Dt **18** 3; cf. 1 S **2** 28). Mais en rattachant ce mot à la racine *'éš* qui veut dire « feu », les Israélites ont mis l'accent sur la part que l'on brûlait pour la divinité, ainsi l'azkârâh ou mémorial. On estompait ainsi l'aspect « nourriture » des offrandes, suspect à bon droit au yahvisme, et l'on rapprochait cette offrande de l'holocauste et de l'oblation d'encens, telle une prière agréable à Yahvé. De fait, dans les textes du Lévitique le mot doit être rendu tantôt par « mets », tantôt par « mets consumés ».

Bref le Lévitique a tenté une classification et une synthèse de tous ces sacrifices autour des notions de péché, d'expiation et de don fait à la divinité. Le sens joyeux des fêtes d'antan n'a pas disparu : la fête restera pour l'Israélite une fête, même si les sacrifices qui la marquent rappellent davantage l'expiation du péché ou le renoncement à un bien en faveur de Yahvé. Il n'en reste pas moins que le sacrifice lévitique est plus exigeant pour le fidèle que le sacrifice païen.

Quant au sacrifice chrétien, il réunira tous les éléments du sacrifice lévitique, mais en une nouvelle synthèse dont la personne du Christ fait le centre. Le sacrifice eucharistique est une action de grâces comme l'holocauste. C'est une participation rituelle de la communauté à la vie du Christ représenté par les espèces (cf. Jn 6) comme dans le sacrifice dit de communion; il ne s'agit cependant plus de célébrer la vie avec Dieu, mais de recevoir la vie même de Dieu. C'est un sacrifice expiatoire pour le péché, la victime pour le péché étant le Christ, représenté par les espèces sur lesquelles le prêtre, représentant la communauté, a imposé les mains avant la consécration. L'oblation se retrouve dans l'offrande des espèces, mais il n'y a plus d'immolation (He 9 12); plus exactement elle a été faite une fois pour toutes, le sacrifice de la messe ayant pour but de rendre présente à toutes les générations l'immolation de l'unique fils de Dieu, leur permettant ainsi de s'unir à sa vie ressuscitée en s'unissant à sa mort expiatoire.

**La structure.** Cette analyse fait déjà entrevoir la complexité de la structure du Lévitique. Ce livre sacerdotal (à la différence de certains chapitres des Nombres les lévites n'y sont guère distingués des prêtres) n'est pas en réalité un livre au sens littéraire du mot.

1. C'est en effet le résultat du morcellement que, pour des raisons pratiques, l'on a dû faire du Pentateuque, de l'ensemble de la Tôrâh. Il a déjà été signalé que ces textes avaient beaucoup d'affinités avec d'autres chapitres de l'Exode et des Nombres, voire de la Genèse. De fait l'installation des prêtres, qui est décrite aux ch. 8-10, est annoncée au ch. 29 de l'Exode et elle fait directement suite au ch. 40 de ce même livre. Et ces chapitres du Lévitique préparent l'énumération des offrandes que les chefs feront au ch. 7 des Nombres.

2. On est par ailleurs obligé de reconnaître que les textes du Lévitique ne sont pas tous d'une seule venue. Il faut y distinguer différents ensembles et différentes couches. Les ensembles sont les suivants :

a) ch. 1 à 7 sur les sacrifices, terminés par une conclusion propre.

*b*) ch. **8** à **10** sur l'installation des prêtres (et deux récits complémentaires), qui font partie d'un ensemble plus vaste débordant sur les autres livres du Pentateuque.

*c*) ch. **11** à **16** sur les règles de pureté, terminés par le rituel du grand jour des expiations.

*d*) ch. **17** à **26**, loi de sainteté; elle s'ouvre par des prescriptions sur le sanctuaire, précise ensuite les conditions morales (**18-20**) et rituelles (**21**) auxquelles la communauté doit satisfaire pour participer au cycle liturgique (**23**) qui l'unit à son Dieu, et se termine par des bénédictions et des malédictions sanctionnant la conduite d'Israël (**26**).

Mais à l'intérieur de ces ensembles il y a des couches différentes, plus ou moins difficiles à discerner, suivant que l'auteur dans sa synthèse a plus ou moins respecté les unités primitives. La loi des sacrifices comprend deux parties bien distinctes; l'une se place au point de vue de l'offrant (**1-5**) et l'autre au point de vue du prêtre (**6-7**). Le rituel des purifications (**14**) et des expiations (**16**) est composite. Quant à la loi de sainteté, non seulement elle a reçu une addition avec le ch. **27**, mais elle comporte certainement des insertions postérieures; le ch. **18** est d'une veine différente, des oracles viennent rompre le développement du ch. **23**, des dispositions d'esprit différent s'intercalent entre le début du ch. **25** et le ch. **26**, etc. Il n'y a pas encore à ces problèmes littéraires une solution qui ait rallié tous les suffrages. On trouvera seulement dans les notes quelques indications.

**La date.** Tous ces morceaux ne sont pas de date identique. L'auteur a recueilli beaucoup de textes anciens qu'il s'est contenté de compléter, par exemple en superposant à un vieux rituel de purification une nouvelle liturgie inspirée par un concept très élaboré du péché contre la Loi. Autant cette synthèse est mosaïque en son fond religieux, nous l'avons vu, autant il serait difficile d'en attribuer la rédaction à Moïse lui-même. Elle suppose un long contact avec les Cananéens, et une sédentarisation durable qui a fait de fêtes agricoles la base du cycle liturgique. La civilisation est urbaine à bien des points de vue. Le matériel cultuel qu'elle suppose est peu concevable au désert.

De plus l'équilibre sacrificiel qu'elle admet ne correspond pas à celui que nous font connaître les livres historiques et prophétiques qui ont précédé Ézéchiel. Il n'y est pas question du roi mais du prince (4 22, comme dans Ézéchiel). Le péché contre la Loi, comme il a été dit, tient une place de choix dans le rituel, alors que nous savons par les Prophètes eux-mêmes, d'Amos à Jérémie, le mal qu'ils ont eu à faire pénétrer cette notion dans le culte (Am 5 21-24; Os 4 6; 8 11 s; Is 1 11-17; Mi 6 6-8; So 3 4; Jr 7 21-23). On a fait valoir encore bien d'autres raisons qui empêchent de dater cette synthèse d'avant l'exil et l'on a depuis longtemps souligné les nombreux points de contact qu'elle présentait avec Ézéchiel.

Mais tous les éléments de cette synthèse sont-ils postérieurs au grand prophète de l'exil ? C'est fort improbable. A la diffé-rence du cas de Jérémie (Jr 1 9), la Révélation se présente à Ézé-chiel sous la forme d'un texte écrit (Ez 2 9). Cette révélation au nom de laquelle il va condamner Israël, maison rebelle (Ez 3 9), paraît bien être la loi de sainteté. C'est elle en effet qu'il invoque implicitement quand il reproche au peuple élu ses transgres-sions (comparer Lv 17 10 et Ez 14 8; Lv 17 13 et Ez 24 7; Lv 19 et Ez 18 7, 11; Lv 20 10 et Ez 18 11; voir aussi Lv 12 5 et Ez 44 20). Elle paraît antérieure au prophète en ce qu'elle n'admet pas comme il le fait une responsabilité purement indi-viduelle (comparer Lv 20 5 et 26 39 avec Ez 18). Enfin Ézéchiel dans ses vues d'avenir semble la compléter : elle n'interdit au prêtre que le mariage avec une femme répudiée, tandis que le prophète exclut aussi la veuve (Lv 21 7 et Ez 44 22). La loi de sainteté semble bien être une codification des derniers temps de la monarchie, analogue en bien des points à celle du Deutéronome puisqu'elle commence et finit comme le code deutéronomique. Si le Deutéronome est bien une com-pilation de textes législatifs venant du Nord, on peut se demander avec certains si la loi de sainteté ne représenterait pas la codification du sacerdoce de Jérusalem, où nous voyons, au temps d'Isaïe, Yahvé honoré avant tout comme le Dieu saint (Is 6 3; 8 13; etc.).

Les autres lois sont plus difficiles à dater, la critique est toutefois unanime à les considérer comme postérieures et certains indices font croire que leur rédaction est plus tardive que celle de la Tôrâh d'Ézéchiel (Ez 40-48). Ainsi la loi des sacrifices partage sa notion du sacrifice, offrande expiatoire, et celle du sacrifice pour le péché; mais elle n'abandonne plus aux lévites l'immolation de l'animal (Ez 44 11; la pratique du 1er siècle, d'après Josèphe, *Ant. Jud.*, III, 9, 1, est conforme aux prescriptions du Lévitique), le rôle du prince se trouve fort diminué (Ez 45 17). Plus nettement peut-être, la loi de pureté, si elle a un vocabulaire voisin de celui du prophète (le mot « pur » revient 17 fois dans Ézéchiel pour 2 fois chez Jérémie et o chez ceux qui l'ont précédé), apparaît comme une compilation plus tardive. Elle connaît avec Ez 45 18 une expiation du sanctuaire, ignorée de Jérémie et du Deutéronome, mais elle l'inclut dans le cérémonial beaucoup plus ample du grand Jour des expiations. Or ce Jour n'est pas mentionné par Ézéchiel, ni par les autres livres prophétiques ou législatifs de la Bible. On voit mal comment il aurait pu être célébré par la communauté au temps de Néhémie (Ne 7 73-9 1). La rédaction définitive de cette loi semble donc dater du temps de la réorganisation de la vie d'Israël en Terre Promise. Elle a des rapports étroits (cf. **18**) avec les additions à la loi de sainteté qui, par leur souci d'assimiler à l'Israélite le simple résidant, veulent visiblement appliquer la législation à un territoire et non à une race (voir **24**), ce qui est plus en accord avec la situation postexilique qu'avec la mentalité de l'exil. Par contre le grand ouvrage dont font partie les ch. **8** à **10** est généralement reconnu comme antérieur à l'insertion de la loi des sacrifices qui l'a séparé de son contexte immédiat (Ex **40**). Tout ceci est un exemple des indices à faire valoir dans une étude dont les conclusions sont rarement évidentes.

En tout cas, quelle qu'en soit la date, ces synthèses particulières et la synthèse générale du Lévitique ont été faites dans un esprit conservateur, par « des esprits conservateurs, plus soucieux de décrire la coutume préexilique que de la réformer » (A. Lods). Ils voulaient maintenir les antiques usages et ont donné la priorité aux données les plus purement yahvistes, en particulier à ces notions d'élection divine, de Loi révélée, et de péché contre les commandements divins, si bien que c'est vraiment de l'esprit mosaïque que procède leur œuvre.

L'objectivisme strict de cette morale ritualiste peut surprendre et choquer le lecteur moderne. Elle a certes ses limites. Mais son étude peut aider à enrichir une vie morale que la pensée moderne, presque exclusivement centrée sur les notions de péché volontaire et de responsabilité personnelle, pourrait appauvrir.

**L'influence.** Ce livre, ainsi que les écrits qui lui sont apparentés, est l'expression d'une mentalité qui a dominé l'époque juive, c'est-à-dire les trois ou quatre siècles qui ont précédé l'ère chrétienne. De même que le Deutéronome avait inspiré le livre des Rois, le Lévitique a marqué profondément la rédaction du livre des Chroniques. Plusieurs Psaumes trahissent son influence (ainsi **78**, **79**). Après l'exil, le Temple et son rituel furent le centre de ralliement de l'immense diaspora. Le livre des Maccabées témoigne de ce que représentaient pour les Juifs de cette époque les sacrifices et les fêtes de ce Temple (1 M 2 57; 4 36 s). Même après l'incendie de Titus et la cessation du culte, le Lévitique garda son importance; la Mishnah compléta ses dispositions et les rabbins commençaient l'éducation religieuse des enfants par un commentaire du Lévitique.

Le Lévitique apparaissait ainsi comme la citadelle du judaïsme, ce qui explique dans l'Église chrétienne des origines une certaine inquiétude à l'égard de ce livre. Saint Paul dans son Épître aux Galates doit s'élever contre l'interprétation qu'on lui donne : il n'est pas nécessaire de judaïser pour recevoir la grâce de Dieu, la Loi ne consiste pas dans l'observation matérielle de rites, mais dans la pratique de la charité (5 14). La lettre dite de Barnabé, non canonique d'ailleurs, ira plus loin et risquera de vider le livre de son contenu historique pour n'y plus voir qu'un sens figuré se rapportant au Christ. Les premiers Pères qui l'ont commenté, en partie du moins, tels Origène, Hésychius de Jérusalem et Cyrille d'Alexandrie, n'en feront qu'une exégèse spirituelle et allégorisante.

La liturgie catholique a conservé à son égard une certaine réserve. Elle lui doit beaucoup pour ses fêtes : la Pâque, devenue fête de la Résurrection et de la délivrance de l'humanité entière, la fête de la Pentecôte qui n'évoque plus le don de la Loi au Sinaï, mais le don de l'Esprit Saint. De même les rites de consécration et de lustration sont en partie puisés dans les chapitres du Lévitique. Mais elle n'en a guère retenu les textes eux-mêmes. On ne le lit pas au Bréviaire d'une manière suivie; quelques passages seulement s'y rencontrent, tels que le rite de la Purification des mères à l'occasion du 2 février. Dans le Missel il n'apparaît que trois fois : le Mercredi de la Passion pour illustrer les « bonnes œuvres » de Jn 10 22-38, le Samedi des Quatre-Temps de Pentecôte, pour expliquer la fête, et de même en septembre, évoquant la fête des Tentes.

L'esprit individualiste et rationnel qui prévalut en Occident depuis la Renaissance n'était guère favorable au Lévitique. Plusieurs causes lui ramènent les esprits : l'intérêt grandissant porté aux rituels par les milieux de l'histoire des religions, la nécessité de situer la religion chrétienne au milieu des autres religions, et plus profondément la redécouverte des aspects collectifs et liturgiques de la religion.

Ce renouveau d'intérêt accordé au Lévitique s'est manifesté dans divers travaux récents : commentaires du livre lui-même (Clamer, Heinisch, Trabaud, Eerdmans), études sur les religions sémitiques (Robertson-Smith, Lagrange), études de détail par exemple sur les sacrifices (Gray, Loisy, Dussaud), l'expiation (Médebielle) et le jubilé (North).

**Le texte.** Une découverte récente a restitué des fragments du Lévitique en écriture archaïque qui datent peut-être des environs du IVe siècle av. J. C. (**19** 31-34; **20** 20-23; **21** 24-22 3; **22** 4-5). Cette importante donnée mise à part, l'état du texte du Lévitique est celui du Pentateuque même. On doit avoir recours : 1) à des manuscrits hébreux remontant jusqu'au Xe siècle de notre ère, 2) à des manuscrits hébreux, mais d'écriture samaritaine, remontant jusqu'au XIIe siècle, 3) à des manuscrits grecs complets depuis le IVe siècle (Vaticanus), fragmentaires auparavant (papyrus), 4) à des manuscrits syriaques dont les plus anciens datent du Ve siècle de notre ère. Aucun de ces textes n'est exempt de fautes. La critique textuelle doit restituer le texte original (écrit en hébreu) à partir de ces données. Mais dans l'ensemble le Lévitique est un des textes les mieux conservés de la Bible.

# LE LÉVITIQUE

## I

## *RITUEL DES SACRIFICES*[a]

**Les holocaustes.** **1.** [1] Yahvé appela Moïse et, de la Tente de Réunion[b], lui parla en ces termes :

[2] Parle aux enfants d'Israël et dis-leur :

Quand l'un de vous présentera une offrande à Yahvé, vous pourrez faire cette offrande en bétail, gros ou petit.

[3] Si son offrande consiste en un holocauste[c] de gros bétail, il offrira un mâle sans défaut; il l'offrira à l'entrée de la Tente de Réunion, pour qu'il soit agréé devant

---

*a*) Dans ce rituel minutieux de l'Ancienne Loi, la tradition chrétienne a aimé voir un ensemble de préparations et de préfigurations du Sacrifice unique et rédempteur du Christ (cf. déjà He **8** s) et des sacrements de l'Église.

*b*) D'après certains textes (Ex **25** 22; **29** 42) cette Tente serait ainsi nommée parce que Dieu y réunissait son peuple, lui fixant une sorte de Rendez-vous. Mais d'autres textes et d'autres expressions, tant bibliques qu'extra-bibliques, font croire que ce nom évoquait à l'origine un oracle divin, une communication divine : cette Tente, où le peuple n'entrait pas, était le lieu où l'on consultait Yahvé (Ex **33** 7 s).

*c*) L'holocauste, où la victime est entièrement consumée, est un sacrifice très ancien en Israël : Gn **8** 20; **22**; Jg **6** 19-21; 1 S **6** 15; **7** 9; 1 R **18** 21-40. Dans Lv **1** il est plutôt un sacrifice expiatoire. Les holocaustes anciens sont plutôt des sacrifices d'action de grâces, lorsque la présence de Dieu s'est manifestée.

Yahvé. ⁴ Il posera la main sur la tête de la victime*ᵃ* et
celle-ci sera agréée pour que l'on fasse sur lui le rite d'expiation*ᵇ*. ⁵ Puis il immolera*ᶜ* le taureau*ᵈ* devant Yahvé et
les fils d'Aaron, les prêtres, offriront le sang*ᵉ*. Ils le feront
couler sur le pourtour de l'autel qui se trouve à l'entrée
de la Tente de Réunion. ⁶ Il écorchera ensuite la victime*ᶠ*,
la dépécera par quartiers, ⁷ les fils d'Aaron, les prêtres,
apporteront du feu sur l'autel et disposeront du bois sur
ce feu. ⁸ Puis les fils d'Aaron, les prêtres, disposeront quartiers, tête et graisse au-dessus du bois placé sur le feu de
l'autel. ⁹ L'homme lavera*ᵍ* dans l'eau les entrailles et les
jambes et le prêtre fera fumer le tout à l'autel. Cet holo-

---

**1** 7. « *les fils d'Aaron, les prêtres* » *Sam G Syr* ; « *les fils du prêtre Aaron* » *H.*

---

*a*) Ce rite fait participer la victime (litt. « l'holocauste ») à la personnalité
de l'offrant. C'est ainsi qu'en Nb **27** 10 Moïse impose la main à Josué qui
va remplir les mêmes fonctions que lui.

*b*) D'après certains textes assyro-babyloniens le terme aurait son origine
dans le vocabulaire magico-médical : par le rite d' « expiation » on obtient
de la divinité qu'elle rende la vie à un malade et guérisse le mal à sa racine
même. Aussi le mot a-t-il acquis un sens religieux profond aussi bien chez
les Assyro-Babyloniens que chez les Hébreux. Les Cananéens voyaient
dans le titre d'expiation une action magique. Les Israélites fidèles ont tendu
à rattacher ce rite aux fondements de la Loi. La chose offerte en expiation
(*kippèr*) est une « rançon » (*kopèr*), cf. Ex **30** 11-16. Dans le N. T. l'expiation
apparaîtra non comme un paiement ou une substitution, mais comme un
don de la vie de Dieu pour revivifier les hommes (Rm **3** 25-26).

*c*) Ézéchiel (**44** 11) confie cette immolation aux lévites (cf. Esd **6** 20).

*d*) Litt. « fils de » bovin, c'est-à-dire appartenant à cette espèce.

*e*) Le sang était considéré comme le siège du principe vital (Lv **17** 11 ;
Dt **12** 16 et 23), d'où son rôle de premier plan dans le rituel des sacrifices
(ci-dessous *passim*), et dans les alliances (Ex **24** 8). Tout abattage devient
un acte cultuel, qui doit s'accomplir sur un autel (1 S **14** 32 s) et, d'après
la loi de Lv **17** 3 s, au sanctuaire. Il est interdit de manger la chair avec
le sang (Gn **9** 4 ; Lv **3** 17 ; **7** 26 ; **17** 12 ; **19** 26 ; cf. Ac **15** 29). Le sang
humain injustement répandu crie vengeance (Gn **4** 10 ; Is **26** 21 ; Ez **24** 7 ;
Jb **16** 18, etc.).

*f*) On prépare la victime comme pour un repas, mais tout sera brûlé
(holocauste est un mot grec qui veut dire « entièrement brûlé »).

*g*) Sam et G ont le pluriel : « ils (les prêtres) laveront ». De même
au v. 13.

causte sera un mets consumé[a] en parfum d'apaisement[b] pour Yahvé.

[10] Si son offrande[c] consiste en petit bétail, agneau ou chevreau offert en holocauste, c'est un mâle sans défaut qu'il offrira. [11] Il l'immolera sur le côté nord[d] de l'autel, devant Yahvé, et les fils d'Aaron, les prêtres, feront couler le sang sur le pourtour de l'autel. [12] Puis il le dépécera par quartiers et le prêtre disposera ceux-ci, ainsi que la tête et la graisse, au-dessus du bois placé sur le feu de l'autel. [13] L'homme lavera dans l'eau les entrailles et les jambes et le prêtre offrira le tout qu'il fera fumer à l'autel. Cet holocauste sera un mets consumé en parfum d'apaisement pour Yahvé[e].

[14] Si son offrande à Yahvé consiste en un holocauste d'oiseau[f], il offrira tourterelle ou pigeon. [15] Le prêtre l'offrira à l'autel, et, en pinçant le cou, il arrachera la tête[g] qu'il fera fumer à l'autel; puis le sang en sera exprimé sur la paroi de l'autel. [16] Il en détachera alors le jabot et les plumes afférentes; il les jettera du côté est de l'autel, à

---

a) Sur ces « mets consumés » voir l'Introduction.

b) Expression connue des Assyro-Babyloniens; elle traduit la satisfaction de la divinité devant l'hommage qui lui est rendu; elle s'appliquait primitivement aux parfums. Notre auteur identifie ici les mets à un parfum et évite que l'on ne se représente les mets comme une véritable nourriture de la divinité.

c) Sam et G ajoutent : « pour Yahvé ».

d) La Porte Nord du Temple s'appelait « Porte du petit bétail » (ou « des Brebis »), cf. Ne 3 1.

e) Ce rituel est calqué sur le précédent mais il ne comporte pas l'imposition des mains et l'on ne dit pas qu'il vaille expiation pour l'offrant. C'est peut-être le rituel primitif de l'holocauste, prière et hommage à Dieu (Jg 6 19-22; 13 16-20) plutôt que sacrifice expiatoire.

f) Connus des Phéniciens et d'Abraham (Gn 15 10), ces sacrifices d'oiseaux sont rarement mentionnés en Israël. Comme ils ne sont pas prévus au v. 2, certains se demandent s'ils n'ont pas été ajoutés lors de la rédaction définitive du livre.

g) Litt. « tira sur la tête ». Voir un rite un peu différent en 5 8, où l'on tire sur la tête, mais sans la détacher comme ici.

l'endroit où l'on dépose les cendres grasses[a]. 17 Il fendra l'animal en deux moitiés, une aile de part et d'autre[b], mais sans les séparer. Le prêtre fera alors fumer l'animal à l'autel, sur le bois placé sur le feu. Cet holocauste sera un mets consumé en parfum d'apaisement pour Yahvé.

**L'oblation.**
              **2.** 1 Si quelqu'un offre à Yahvé une oblation[c], son offrande consistera en fleur de farine sur laquelle il versera de l'huile et déposera de l'encens. 2 Il l'apportera aux fils d'Aaron, les prêtres; il en prendra une pleine poignée de fleur de farine et d'huile, plus tout l'encens, ce que le prêtre fera fumer à l'autel à titre de mémorial, mets consumé en parfum d'apaisement pour Yahvé. 3 Le reste de l'oblation reviendra à Aaron et à ses fils, part très sainte[d] des mets de Yahvé.

4 Lorsque tu offriras une oblation de pâte cuite au four[e], la fleur de farine sera préparée en gâteaux sans levain pétris à l'huile ou en galettes sans levain frottées d'huile.

5 Si ton offrande est une oblation cuite à la plaque[f], la

---

*a*) C'est le résidu des combustions de graisses sacrées; cf. 1 R **13** 5; Lv **4** 12.

*b*) En Assyrie on coupait le pigeon en deux, souvenir de la manière dont le dieu Mardouk aux origines du monde avait coupé son adversaire. Les Israélites évitent ce souvenir. On ouvrait aussi ces oiseaux pour en consulter les viscères et y chercher un message divin. Litt. « il le fendra par les ailes ».

*c*) Offrande des produits du sol, l'oblation est dès l'origine un rite de sédentaires. On l'assimile à l'holocauste en brûlant une poignée « en parfum d'apaisement » (Ex **29** 18; Lv **1** 9 et la note). Ce sacrifice est le plus souvent annexé à un autre comme son complément. Voir aussi **6** 7-11; **7** 9-10; Nb **15** 1-16.

*d*) On distinguait parmi les offrandes les choses saintes et les choses très saintes. Ces dernières consacraient tout ce qui les touchait (Ex **29** 37); il fallait de ce fait les manger dans des conditions particulières.

*e*) Au lieu de « cuite au four », G[AB] porte « cuite d'encens » (ἐκ λιβάνου au lieu de ἐν κλιβάνῳ).

*f*) Le mode de cuisson prévu au v. précédent est celui des Palestiniens sédentaires. Celui-ci était pratiqué par les nomades et l'est encore par les Bédouins. Les Israélites l'avaient conservé après leur établissement et notre texte précise qu'il vaut oblation comme l'autre.

fleur de farine pétrie à l'huile sera sans levain. ⁶ Tu la
rompras en morceaux et verseras de l'huile par-dessus.
C'est une oblation.

⁷ Si ton offrande est une oblation cuite au moule*a*, la
fleur de farine sera préparée dans l'huile.

⁸ Tu apporteras à Yahvé l'oblation qui aura été ainsi
préparée. On*b* la présentera au prêtre, qui l'approchera de
l'autel. ⁹ De l'oblation le prêtre prélèvera le mémorial,
qu'il fera fumer à l'autel à titre de mets consumé en parfum
d'apaisement pour Yahvé. ¹⁰ Le reste de l'oblation reviendra à Aaron et à ses fils, part très sainte des mets de
Yahvé*c*.

¹¹ Aucune des oblations que vous offrirez à Yahvé ne
sera préparée avec un ferment*d*, car vous ne ferez jamais
fumer ni levain ni miel à titre de mets consumé pour
Yahvé. ¹² Vous en offrirez à Yahvé comme offrande de
prémices, mais à l'autel ils ne monteront point en parfum
d'apaisement. ¹³ Tu saleras toute oblation que tu offriras
et tu ne cesseras pas de mettre sur ton oblation le sel de
l'alliance de ton Dieu*e*; à toute offrande tu joindras une

---

*a*) Ce dernier mode se retrouve dans les textes égyptiens (*rḥś*). Le législateur l'admet mais impose l'usage conjoint de l'huile, traditionnel dans
l'oblation palestinienne.

*b*) C'est-à-dire l'offrant.

*c*) Ainsi les vv. 4-10 assimilent l'oblation qui a subi une préparation à
l'oblation simple des vv. 1-3.

*d*) L'interdiction du levain semble se rattacher historiquement aux
azymes de la Pâque, le plus ancien des sacrifices israélites. C'est aussi une
mesure de défense contre les rites cananéens qui offraient des pains fer-
mentés (Am **4** 5). Il en est de même des gâteaux de miel (Ez **16** 19).

*e*) On attribuait au sel une valeur purificatrice (Ez **16** 4; 2 R **2** 20;
Mt **5** 13). On l'utilisait chez les Assyriens pour conserver les cadavres et,
d'une manière générale, dans le culte : « Sans toi aucun repas n'a lieu au
temple », dit une incantation adressée au sel. Par ailleurs, chez les nomades,
il jouait un rôle dans les repas d'amitié ou d'alliance, d'où l'expression
« alliance de sel » (Nb **18** 19) pour décrire la stabilité de l'alliance entre
Yahvé et son peuple. C'est ce point de vue que retient notre texte et il
étend le rite à toutes les offrandes.

offrande de sel à Yahvé ton Dieu. [14] Si tu offres à Yahvé une oblation de prémices, c'est sous forme d'épis grillés au feu ou de pain cuit avec du blé moulu[a] que tu feras cette oblation de prémices. [15] Tu y ajouteras de l'huile et y déposeras de l'encens, c'est une oblation; [16] et le prêtre en fera fumer le mémorial avec une partie du pain et de l'huile (plus tout l'encens) à titre de mets consumé pour Yahvé.

**Le sacrifice de communion[b].**

**3.** [1] Si son sacrifice est un sacrifice de communion et s'il offre du gros bétail, mâle ou femelle, c'est une pièce sans défaut qu'il offrira devant Yahvé. [2] Il posera la main sur la tête de la victime et l'immolera à l'entrée de la Tente de Réunion. Puis les fils d'Aaron, les prêtres, feront couler le sang sur le pourtour de l'autel[c]. [3] Il offrira une part de ce sacrifice à titre de mets consumé pour Yahvé : la graisse qui couvre les entrailles, toute la graisse qui est au-dessus des entrailles, [4] les deux rognons, la graisse qui y adhère ainsi qu'aux lombes, la masse graisseuse qu'il détachera

---

a) « épis grillés... » »; G traduit « épis nouveaux grillés, pains d'orge égrugés pour Yahvé ». — Les épis grillés étaient la nourriture du moissonneur, c'était donc la matière de l'offrande des prémices sur le lieu de travail. Le pain cuit (*karmèl*, cf. en assyrien *kurumattu* et Lv **23** 14) est fait avec du blé moulu (*gèrèš*, cf. Dt **33** 14 avec une prononciation dialectale légèrement différente) et préparé au village. Ces vv. 12-16 rangent dans la catégorie des oblations l'antique offrande de prémices (voir les étapes de la législation sur ce point en Ex **22** 29; **34** 26, cf. **23** 10; Dt **18** 4 et **26** 2; Ez **44** 30; Lv **23** 10-17 et 18-20; Nb **18** 12).

b) Sur le sacrifice de communion (plus exactement de plénitude) voir l'Introduction. Dans ce rituel du Lévitique on ne retient guère que les traits communs avec l'holocauste, c'est-à-dire l'offrande faite à Dieu. Les graisses viscérales sont considérées comme ayant un rapport étroit avec la vie (à un moindre degré toutefois que le sang), surtout celles qui touchent au foie (censé être le siège des affections et des mouvements vitaux profonds) et aux reins (souvent censés être le siège des fonctions de reproduction). Voir aussi **19** 5-8; **22** 21-25; 1 Co **10** 16.

c) G précise « de l'autel des holocaustes ».

du foie et des rognons. ⁵ Les fils d'Aaron feront fumer cette part à l'autel en plus de l'holocauste*a*, sur le bois placé sur le feu. Ce sera un mets consumé en parfum d'apaisement pour Yahvé.

⁶ Si c'est du petit bétail*b* qu'il offre à titre de sacrifice de communion pour Yahvé, c'est un mâle ou une femelle sans défaut qu'il offrira.

⁷ S'il offre un mouton, il l'offrira devant Yahvé, ⁸ il posera la main sur la tête de la victime et l'immolera devant la Tente de Réunion, puis les fils d'Aaron en répandront le sang sur le pourtour de l'autel. ⁹ De ce sacrifice de communion il offrira la graisse en mets consumé pour Yahvé : la queue entière qu'il détachera près du sacrum*c*, la graisse qui couvre les entrailles, toute la graisse qui est au-dessus des entrailles, ¹⁰ les deux rognons, la graisse qui y adhère ainsi qu'aux lombes, la masse graisseuse qu'il détachera du foie et des rognons. ¹¹ Le prêtre fera fumer cette part à l'autel à titre de nourriture*d*, de mets consumé pour Yahvé.

---

*a*) L'holocauste régulier du matin (Nb **28** 3 ; Ex **29** 39). Sur le rôle des prêtres, cf. **9** 18-21.

*b*) C'est ici le mouton ou le bélier car le paragraphe suivant traitera de la chèvre. Le rituel est le même, sauf la mention de la queue du mouton, particulièrement grasse chez certaines espèces de Palestine.

*c*) G^AB omet « la graisse qui couvre les entrailles, etc. ».

*d*) Le mot « nourriture » a été supprimé par le traducteur grec (qui le remplace par « parfum d'apaisement »), ici comme au v. 16. Il a craint que cette expression ne porte atteinte à la spiritualité et à la transcendance du Dieu de la Bible. De fait de nombreux textes bibliques combattent l'idée d'un Dieu mangeant et buvant (Ps **50** 13 ; Dn **14**), idée que partageaient nombre de Sémites et d'Israélites peu informés. Quel était le sens exact du rite ? Ce sacrifice était certainement un banquet sacré où les fidèles mangeaient chez la divinité (Ex **24** 11), voire avec la divinité. Mais la part de la divinité n'était pas celle des fidèles. C'était le sang répandu sur l'autel, la viande ou la graisse que l'on brûle (Jg **6** 21 ; **13** 20 ; 1 S **2** 16), ou l'huile dont on oint la stèle (Gn **29** 18). La nourriture de la divinité paraît n'avoir été assimilée qu'à titre plus ou moins symbolique à celle des hommes, de manière à affirmer l'unité entre la divinité et ses fidèles vivant d'un même sang, mangeant du même animal.

¹² Si son offrande consiste en une chèvre, il l'offrira devant Yahvé, ¹³ il lui posera la main sur la tête et l'immolera devant la Tente de Réunion, et les fils d'Aaron en répandront le sang sur le pourtour de l'autel. ¹⁴ Voici ce qu'il en offrira ensuite à titre de mets consumé pour Yahvé : la graisse qui couvre les entrailles, toute la graisse qui est au-dessus des entrailles, ¹⁵ les deux rognons, la graisse qui y adhère ainsi qu'aux lombes, la masse graisseuse qu'il détachera du foie et des rognons. ¹⁶ Le prêtre fera fumer ces morceaux à l'autel à titre de nourriture, de mets consumés en parfum d'apaisement pour Yahvé.

Toute la graisse appartient à Yahvé. ¹⁷ C'est pour tous vos descendants une loi perpétuelle, en quelque lieu que vous demeuriez : vous ne mangerez ni graisse ni sang[a].

**Le sacrifice pour le péché.**

**4.** ¹ Yahvé parla à Moïse et dit[b] :

² Parle aux enfants d'Israël, dis-leur :

Si quelqu'un pèche par inadvertance contre l'un quelconque des commandements de Yahvé et commet une de ces actions défendues,

**A. du grand prêtre.**

³ Si c'est le prêtre consacré par l'onction qui pèche et rend ainsi le peuple coupable[c], il offrira à Yahvé pour le péché qu'il a commis un

---

*a*) Rappel du principe général qui sous-entend la transcendance de Dieu : l'homme ne peut se nourrir du même mets que lui.

*b*) Cette formule introduit une nouvelle section. Les deux sacrifices dont il va être question (voir Introduction) supposent une faute particulière de l'offrant.

*c*) A l'instar des rois, le grand prêtre était oint et par là constitué dans un ordre sacré (cf. 1 S **10** 1; **16** 1-13; 1 R **1** 39). Il représentait la divinité vis-à-vis du peuple, mais également vis-à-vis de Dieu, sa faute entraînait donc une culpabilité collective de la nation.

taureau, pièce de gros bétail sans défaut, à titre de sacrifice
pour le péché. <sup>4</sup> Il amènera ce taureau devant Yahvé à
l'entrée de la Tente de Réunion, lui posera la main sur la
tête et l'immolera devant Yahvé. <sup>5</sup> Puis le prêtre consacré
par l'onction<sup>a</sup> prendra un peu du sang de ce taureau et le
portera dans la Tente de Réunion. <sup>6</sup> Il trempera son doigt
dans le sang et en fera sept aspersions devant le voile du
sanctuaire, devant Yahvé<sup>b</sup>. <sup>7</sup> Le prêtre déposera alors un
peu de ce sang sur les cornes de l'autel des parfums<sup>c</sup> qui
fument devant Yahvé dans la Tente de Réunion, et il
versera tout le sang du taureau à la base de l'autel des
holocaustes qui se trouve à l'entrée de la Tente de
Réunion.

<sup>8</sup> De toute la graisse de ce taureau offert en sacrifice pour
le péché voici ce qu'il prélèvera : la graisse qui couvre
les entrailles, toute la graisse qui est au-dessus des entrailles,
<sup>9</sup> les deux rognons, la graisse qui y adhère ainsi qu'aux
lombes, la masse graisseuse qu'il détachera du foie et des
rognons, — <sup>10</sup> tout comme la part prélevée sur le sacrifice
de communion, — et le prêtre fera fumer ces morceaux
sur l'autel des holocaustes<sup>d</sup>.

<sup>11</sup> La peau du taureau, toute sa chair, et sa tête, ses
jambes, ses entrailles et sa fiente, <sup>12</sup> le taureau tout entier,

---

a) Sam et G précisent : « et dont on a rempli la main » (cf. **8** 33).

b) Derrière ce voile se trouvait l'arche d'alliance, trône de Yahvé, dont
on disait qu'il trônait sur les Chérubins (1 S **4** 4; Ps **80** 2; cf. Ex **37** 1-9).
Sur ce voile, cf. Ex **26** 31-35; **36** 35-36.

c) D'après la Bible (Ex **30** 1-10) et les exemplaires trouvés dans les
fouilles, ces autels étaient de petites dimensions et faciles à transporter.
Ils étaient pourvus de cornes, symboles divins de force et de fécondité. A
la différence de l'autel des holocaustes qui se trouvait hors de la Tente et
du Temple, l'autel des parfums était dans la Tente, devant le sanctuaire
proprement dit (cf. Is **6** 6). Le parfum sacré était fait avec divers aromates
(Ex **30** 34-38). La fumigation de parfum est un très ancien et très pur
sacrifice sémitique.

d) G porte « sur l'autel des mets consumés ».

il le fera porter[a] hors du camp[b], dans un lieu pur[c], lieu
de rebut des cendres grasses. Il le brûlera sur un feu de
bois; c'est au lieu de rebut des cendres grasses que le
taureau sera brûlé.

[13] Si c'est toute la commu-
**B. de l'Assemblée**   nauté d'Israël qui a péché par
**d'Israël.**   inadvertance et commis l'une
des choses défendues par les
commandements de Yahvé sans que la communauté s'en
soit aperçue, [14] la communauté offrira en sacrifice pour
le péché un taureau, pièce de gros bétail sans défaut,
lorsque le péché dont elle est responsable sera reconnu.
On l'amènera devant la Tente de Réunion; [15] devant
Yahvé les anciens de la communauté poseront leurs
mains sur la tête de ce taureau, et devant Yahvé on
l'immolera[d].

[16] Puis le prêtre consacré par l'onction portera dans la
Tente de Réunion un peu du sang de ce taureau. [17] Il trempera son doigt dans le sang et fera sept aspersions devant le
voile, devant Yahvé. [18] Il déposera alors un peu de ce sang
sur les cornes de l'autel qui se trouve devant Yahvé dans
la Tente de Réunion, puis versera tout le sang à la base
de l'autel des holocaustes qui est à l'entrée de la Tente de
Réunion.

[19] Il prélèvera alors de l'animal toute la graisse et la

---

a) Sam et G ont les verbes au pluriel.

b) Du fait de la présence divine qui « marche dans le camp » (Dt **23** 15),
celui-ci a une certaine valeur sacrée. L'animal représente un coupable pour
lequel il a fallu renouveler l'alliance par le sang (vv. 5-7, cf. Ex **24** 8),
il doit donc être expulsé du camp, une fois prélevée la graisse qui revient à
Dieu (p. 27, note *d*). Sur l'expulsion du bouc émissaire, cf. **16** 21-22.

c) L'animal ayant été offert à Dieu (v. 3) et les graisses ayant été brûlées
pour lui, faire choix d'un lieu profane irriterait la divinité.

d) Même rituel pour le grand prêtre et l'Assemblée, puisque l'un représente l'autre.

fera fumer à l'autel. [20] Il traitera ce taureau comme il aurait traité le taureau du sacrifice pour le péché[a]. Ainsi le traitera-t-on, et le prêtre ayant fait sur les membres de la communauté le rite d'expiation, il leur sera pardonné.

[21] Il fera porter[b] le taureau hors du camp et il le brûlera comme il aura brûlé le précédent taureau. C'est là le sacrifice pour le péché de la communauté.

[22] A supposer qu'un chef[c]

**C. d'un chef.** pèche et fasse par inadvertance quelqu'une des choses interdites par les commandements de Yahvé son Dieu et se rende ainsi coupable, [23] (ou si on l'avertit du péché commis sur ce point[d]), il apportera comme offrande un bouc, un mâle sans défaut. [24] Il posera la main sur la tête du bouc et l'immolera au lieu où l'on immole les holocaustes devant Yahvé[e]. C'est un sacrifice pour le péché : [25] le prêtre prendra à son doigt un peu du sang de la victime et le déposera sur les cornes de l'autel des holocaustes[f]. Puis il en versera le sang à la base de l'autel des holocaustes [26] et en fera fumer toute la graisse à l'autel, comme la graisse du sacrifice de communion. Le prêtre fera ainsi sur ce chef le rite d'expiation pour le délivrer de son péché, et il lui sera pardonné.

---

*a*) Le péché du grand prêtre.

*b*) Sam et G ont les verbes au pluriel.

*c*) Ce terme de chef peut s'appliquer aux chefs de tribus (Ex **22** 27), mais il est probable que le législateur a ici en vue le chef qui tient lieu de roi dans la théocratie d'Ézéchiel (Ez **45**).

*d*) Cette addition précise le cas où le chef ne s'est pas aperçu lui-même de sa faute (cf. v. 28 et **5** 3-4).

*e*) C'est-à-dire au nord de l'autel (**1** 11).

*f*) A la différence du grand prêtre et de la communauté, le chef (et l'homme du peuple) reste dans l'ordre profane (Ez **44** 3; **45** 7-12) et le sang de la victime qui tient sa place n'entre pas dans la Tente sainte.

**D. d'un homme
du peuple.**

²⁷ Si c'est un homme du peuple*ᵃ* qui pèche par inadvertance et se rend coupable en faisant quelqu'une des choses interdites par les commandements de Yahvé, ²⁸ (ou si on l'avertit du péché commis), il amènera comme offrande pour le péché qu'il a commis une chèvre*ᵇ*, une femelle sans défaut. ²⁹ Il posera la main sur la tête de la victime et l'immolera au lieu où l'on immole les holocaustes. ³⁰ Le prêtre en prendra à son doigt un peu de sang et le déposera sur les cornes de l'autel des holocaustes. Puis il versera tout le sang à la base de l'autel. ³¹ Il détachera ensuite toute la graisse comme on détache la graisse d'un sacrifice de communion et le prêtre la fera fumer à l'autel en parfum d'apaisement*ᶜ* pour Yahvé. Le prêtre fera ainsi sur cet homme le rite d'expiation, et il lui sera pardonné.

³² Si c'est un agneau*ᵈ* qu'il veut amener comme offrande pour un tel sacrifice, c'est une femelle sans défaut qu'il amènera. ³³ Il posera*ᵉ* la main sur la tête de la victime et l'immolera en sacrifice pour le péché au lieu où l'on immole les holocaustes. ³⁴ Le prêtre prendra à son doigt un peu du sang de ce sacrifice et le déposera sur les cornes de l'autel des holocaustes. Puis il en versera tout le sang à la base de l'autel. ³⁵ Il en détachera toute la graisse comme on détache celle du mouton d'un sacrifice de communion, et le prêtre fera fumer ces morceaux à l'autel

---

*a*) Litt. « homme du peuple du pays ».

*b*) Le sexe de l'animal différencie seul les deux rituels. Les attributs mâles sont symboles de commandement.

*c*) Ce serait le seul cas où l'expression s'appliquerait à un sacrifice pour le péché, aussi beaucoup d'auteurs considèrent ces mots comme une addition. Mais voir **1** 4 et 9 où l'expression est jointe à l'idée d'expiation.

*d*) Jeune mouton de 1 à 3 ans.

*e*) Sam et G ont les verbes au pluriel.

en plus des mets consumés pour Yahvé. Le prêtre fera
ainsi sur l'homme le rite d'expiation pour le péché qu'il a
commis, et il lui sera pardonné.

**5.** ¹ Si quelqu'un pèche
en l'un de ces cas[a] :

**Quelques cas
de sacrifices
pour le péché.**

Après avoir entendu la formule d'adjuration[b] il aurait
dû porter témoignage, car il
avait vu ou il savait, mais il n'a rien déclaré et porte le poids
de sa faute ;

² ou bien quelqu'un touche à une chose impure, quelle
qu'elle soit, cadavre de bête impure, d'animal domestique
impur, de bestiole impure, et à son insu il devient impur
et responsable[c] ;

³ ou bien il touche à une souillure humaine, quelle qu'elle
soit, dont le contact rend impur ; il ne s'en aperçoit pas,
puis, venant à l'apprendre, il en devient responsable ;

⁴ ou bien un individu laisse échapper[d] un serment défa-
vorable ou favorable, en toute matière où un homme peut
jurer inconsidérément ; il ne s'en aperçoit pas, puis, venant
à l'apprendre, il en devient responsable ;

⁵ s'il est responsable en l'un de ces cas[e], il aura à
confesser[f] le péché commis, ⁶ il amènera à Yahvé à titre

---

*a*) Le texte reporte les mots « en l'un de ces cas » à la fin du v. 4 ; nous
les insérons ici pour la clarté de la phrase française.

*b*) Après convocation du témoin le juge prononçait sur lui une malédiction conditionnelle pour le cas où il mentirait ou se déroberait. Sur les
témoins, cf. Pr **29** 24 ; Ex **23** 1-3 ; Dt **19** 15-20.

*c*) « et à son insu... responsable » manque dans G. Beaucoup corrigent
le texte en fonction des paragraphes suivants : « après l'avoir ignoré il l'a
su et s'est rendu coupable ». Ces sacrifices en cas d'impureté étaient pratiqués également en Arabie du Sud. Sur les cas d'impureté, cf. **11-16**.

*d*) Par manque d'advertance ou de volonté un tel serment n'engage pas,
mais la divinité et le bénéficiaire du serment se trouvent lésés.

*e*) Le début du v. manque dans G.

*f*) C'est une confession solennelle et publique. Semblable confession,

de sacrifice de réparation[a] pour le péché commis une
femelle de petit bétail (brebis ou chèvre) en sacrifice pour
le péché; et le prêtre fera sur lui le rite d'expiation qui le
délivrera de son péché.

**Le sacrifice
pour le péché
de l'homme
du peuple** (suite).

[7] S'il n'a pas les moyens de
se procurer une tête de petit
bétail, il amènera à Yahvé
en sacrifice de réparation
pour le péché qu'il a commis
deux tourterelles ou deux
pigeons, l'un en sacrifice pour le péché et l'autre en holocauste. [8] Il les amènera au prêtre, qui offrira d'abord celui
qui est destiné au sacrifice pour le péché. En pinçant le
cou le prêtre lui rompra la nuque sans détacher la tête[b].
[9] Avec le sang de la victime il aspergera la paroi de l'autel,
puis le reste du sang sera exprimé à la base de l'autel. C'est
un sacrifice pour le péché. [10] Quant à l'autre oiseau, il en
fera un holocauste suivant la règle. Le prêtre fera ainsi sur
l'homme le rite d'expiation pour le péché qu'il a commis,
et il lui sera pardonné.

[11] S'il n'a pas les moyens de se procurer deux tourterelles ou deux pigeons, il amènera à titre d'offrande pour
le péché commis un dixième de mesure[c] de fleur de farine;
il n'y mettra pas d'huile et n'y déposera pas d'encens, car
c'est un sacrifice pour le péché. [12] Il l'apportera au prêtre

---

mais très formaliste et comportant accusation de fautes vraies ou suppo-
sées, était connue des Assyriens et Babyloniens. De plus l'Arabie pratiquait
un rite très voisin de celui qui est ici décrit.

*a*) Sur le sacrifice de réparation, voir l'Introduction. Ce paragraphe tend
à identifier la notion de péché entraînant sacrifice pour le péché, et celle
de culpabilité entraînant sacrifice de réparation. Il coupe le développement
sur les animaux qu'un homme peut offrir pour son péché. Enfin il trahit
des conceptions semblables à celles des parenthèses **4** 23 et 28, prévoyant
le cas du péché inconscient devenu conscient.

*b*) Litt. « tirera sur la tête sans la séparer », cf. p. 23, note *g*.

*c*) Un dixième d'*épha* : un peu moins de 4 litres.

et celui-ci en prendra une pleine poignée en mémorial qu'il fera fumer à l'autel[a] en plus des mets consumés pour Yahvé. C'est un sacrifice pour le péché. [13] Le prêtre fera ainsi sur l'homme le rite d'expiation pour le péché qu'il a commis en l'un de ces cas[b], et il sera pardonné. Le prêtre a dans ce cas les mêmes droits que pour l'oblation[c].

[14] Yahvé parla à Moïse et

**Le sacrifice de réparation.** dit : [15] Si quelqu'un commet une fraude[d] et pèche par inadvertance en retranchant sur les droits sacrés[e] de Yahvé, il amènera à Yahvé en sacrifice de réparation un bélier sans défaut de son troupeau, à estimer[f] en sicles d'argent au taux du sicle du sanctuaire[g]. [16] Il acquittera ce que son péché aura retranché au droit sacré, en en majorant la valeur d'un cinquième, et le remettra au prêtre. Celui-ci fera sur lui le rite d'expiation avec le bélier du sacrifice de réparation, et il lui sera pardonné[h].

[17] Si quelqu'un pèche et fait sans s'en apercevoir l'une des choses interdites par les commandements de Yahvé,

---

*a*) G précise « des holocaustes ».

*b*) Ces mots qui troublent la phrase ont été ajoutés lors de l'insertion du paragraphe précédent (vv. 4 s). La formule se réfère ici non pas à la petite série des vv. 1-6 mais à la formule beaucoup plus générale de **4** 22 et 26 sur toute atteinte aux prescriptions de Yahvé.

*c*) Litt. « Comme l'oblation ce sera pour le prêtre ». Celui-ci aura la propriété de ce qui reste, cf. **2** 3, 10. — A « l'oblation » G ajoute « de fleur de farine ».

*d*) C'est une fraude involontaire.

*e*) Litt. « choses sacrées », c'est-à-dire les offrandes régulières ou volontaires.

*f*) Litt. « ton estimation », mais voir **27** 2 s.

*g*) Le sicle du sanctuaire est peut-être l'ancien sicle valant 1/50 de mine (la mine valant à peu près 500 gr.) tandis que le sicle courant en vaut 1/60. Mais pour d'autres savants le sicle du sanctuaire ou sicle sacré ne serait qu'un étalon.

*h*) Sur ce cas, cf. 2 R **12** 17. Mais l'amende se double d'un sacrifice.

# LE LÉVITIQUE

# **5** 18

il sera responsable et portera le poids de sa faute[a]. [18] Il amènera au prêtre à titre de sacrifice de réparation un bélier sans défaut de son troupeau, sujet à estimation. Le prêtre fera sur lui le rite d'expiation pour l'inadvertance commise sans le savoir, et il lui sera pardonné. [19] C'est un sacrifice de réparation[b], cet homme était certainement responsable envers Yahvé[c].

**6.** [1]    [20][d] Yahvé parla à Moïse et dit :

[2]    [21] Si quelqu'un pèche et commet une fraude envers Yahvé en trompant son compatriote[e] au sujet d'un dépôt, d'une garde ou d'un retrait d'objet[f], ou s'il exploite ce compatriote,

[3]    [22] ou s'il trouve un objet perdu et le nie, ou s'il prête un faux serment à propos de n'importe quel péché que peut commettre un homme,

[4]    [23] s'il pèche et devient ainsi responsable, il devra restituer ce qu'il a retiré ou exigé en trop : le dépôt qui lui
[5] fut confié, l'objet perdu qu'il a trouvé, [24] ou tout objet au sujet duquel il a prêté un faux serment. En le majorant d'un cinquième, il versera ce capital au détenteur de l'objet[g] au jour où lui-même est devenu responsable.

[6] [25] Puis il amènera à Yahvé comme sacrifice de réparation un bélier sans défaut de son troupeau; on l'estimera à la valeur versée au prêtre pour un sacrifice de réparation[h].

---

*a)* Ce passage résume l'ensemble des dispositions des ch. **4** et **5** sur le sacrifice pour le péché qu'il considère comme un sacrifice de réparation généralisé.

*b)* G omet « C'est un sacrifice de réparation ».

*c)* Autre traduction peut-être plus sûre : « Sacrifice de réparation qu'il doit offrir comme tel à Yahvé. »

*d)* G et Vulg commencent ici le ch. **6.** Leur numérotation (donnée en marge) reste différente jusqu'au ch. **8.**

*e)* Litt. « congénère, parent par le sang ».

*f)* Voir Ex **22** 6-14 pour ces différents cas.

*g)* Litt. « à celui auquel il était livré ».

*h)* Sur le versement au prêtre, cf. 2 R **12** 17.

36

7  ²⁶ Celui-ci fera sur lui le rite d'expiation devant Yahvé, et il lui sera pardonné, quel que soit l'acte qui a entraîné sa responsabilité*ᵃ*.

8                                        **6.** ¹ Yahvé parla à Moïse

**Le sacerdoce**              et dit :

9  **et les sacrifices**ᵇ :              ² Fais ces prescriptions à

   **A. L'holocauste.**       Aaron et à ses fils :

Voici le rituel de l'holo-causte. (C'est l'holocauste qui se trouve sur le brasier de l'autel toute la nuit jusqu'au matin et que le feu de l'autel consumeᶜ.)

10  ³ Le prêtre revêtira sa tunique de lin et d'un caleçon de lin couvrira son corps. Puis il enlèvera la cendre grasse de l'holocauste consumé par le feu sur l'autel et la déposera

11  à côté de l'autel. ⁴ Il retirera alors ses vêtements; il en revêtira d'autres et transportera cette cendre grasse en un lieu purᵈ hors du camp.

12  ⁵ Le feu qui sur l'autel consume l'holocauste ne s'étein-

---

*a*) Ce paragraphe (vv. 20-26) sanctionne des fautes commises contre d'anciennes prescriptions mosaïques (Ex **22** 6 s, 9 s, 20-26; **23** 4, etc.) avec terminologie différente et généralisation des cas.

*b*) Les cinq ch. précédents traitaient des sacrifices au point de vue de la matière du sacrifice. Les ch. **6** et **7** reprennent l'ensemble, mais au point de vue des fonctions et des droits du sacerdoce.

*c*) Ézéchiel (**46** 13-15) appelle perpétuel l'holocauste régulier du matin et paraît se conformer à l'usage antérieur tel qu'il était pratiqué sous la monarchie (cf. 2 R **16** 15 qui oppose l'holocauste du matin à l'oblation du soir). Ex **29** 38-46 et Nb **28** 3-8 connaissent au contraire deux holocaustes, un le matin et un le soir et notre texte leur donne valeur d'holocauste perpétuel signifiant la continuité du culte. Comparer **24** 2-4. Le feu perpétuel, ignoré semble-t-il des Égyptiens et des Assyro-Babyloniens, mais connu des Perses (STRABON, XV, 5, 15), peut prendre ainsi sa place dans le culte mosaïque. Il n'est plus seulement adoration d'une force de la nature, ou hommage au dieu très pur du ciel empyrée, mais prière de la communauté mosaïque au Dieu qui lui a révélé ses volontés. Voir en 2 M **1** 18-36 ce que l'on disait de ce feu perpétuel au premier siècle avant notre ère.

*d*) Sur ce lieu, cf. **4** 12 et la note.

dra pas. Chaque matin le prêtre l'alimentera de bois. Il y
disposera l'holocauste et y fera fumer les graisses des
13  sacrifices de communion[a]. ⁶ Un feu perpétuel brûlera sur
l'autel sans s'éteindre.

14                                        ⁷ Voici le rituel de l'obla-
        **B. L'oblation.**            tion :

                              Après que l'un des fils
d'Aaron l'aura apportée devant l'autel en présence de
15  Yahvé, ⁸ après qu'il en aura prélevé une poignée de fleur de
farine (avec l'huile et tout l'encens qu'on y a joint), après
qu'il en aura fait fumer à l'autel le mémorial en parfum
16  d'apaisement pour Yahvé, ⁹ Aaron et ses fils mangeront
le reste sous forme de pains sans levain[b]. Ils le mangeront dans un lieu pur sur le parvis de la Tente de Réunion.
17  ¹⁰ On ne cuira pas avec du levain la part de mes mets que
je leur donne. C'est une part très sainte comme le sacrifice
18  pour le péché et le sacrifice de réparation. ¹¹ Tout mâle
d'entre les fils d'Aaron pourra manger cette part des mets
de Yahvé (c'est pour tous vos descendants une loi perpétuelle) et tout ce qui y touche se trouvera consacré[c].

19      ¹²[d] Yahvé parla à Moïse et lui dit :
20      ¹³ Voici l'offrande que feront à Yahvé Aaron et ses fils

---

*a*) Ceux que l'on offrira pendant la journée.

*b*) Le rituel cananéen cherchait à exprimer l'explosion bouillonnante
des forces naturelles : ferment dans le pain, banquet sacré accompagné de
chants et de danses, enfin licence débridée. Le rituel lévitique, tout en
conservant le sens de la vie et l'hommage à Dieu des produits du sol, épure
profondément ce rituel pour assurer le respect du sacré et de la transcendance divine : la consommation est réservée au sacerdoce, le ferment est
exclu, tout contact avec le profane est prohibé, le chant se discipline dans
les Psaumes et les hymnes, toute prostitution sacrée est sévèrement
réprouvée.

*c*) C'est indépendamment de la volonté de l'homme que se communique le caractère sacré d'une chose. Le profane doit éviter le sacré s'il ne
veut pas entrer dans un autre ordre de choses pour lequel il n'est pas naturellement fait et qui risque de le détruire.

*d*) G^A omet les vv. 12-16.

le jour de leur *a* onction : un dixième de mesure de fleur de
farine à titre d'oblation perpétuelle, moitié le matin et
21 moitié le soir *b*. 14 *c* Elle sera préparée sur la plaque, à
l'huile, comme une mixture *d* ; tu apporteras la pâte sous
forme d'oblation en plusieurs morceaux que tu offriras
22 en parfum d'apaisement pour Yahvé. 15 Le prêtre qui
parmi ses fils recevra l'onction fera de même. C'est une loi
perpétuelle.

Pour Yahvé cette oblation passera tout entière en fumée.
23 16 Toute oblation faite par un prêtre doit être un sacrifice
total, on n'en mangera pas *e*.

24                                        17 Yahvé parla à Moïse et
25    **C. Le sacrifice**        dit : 18 Parle à Aaron et à ses
         **pour le péché.**      fils :

Voici le rituel du sacri-
fice pour le péché.

La victime en sera immolée devant Yahvé là où l'on
26 immole l'holocauste. C'est une chose très sainte. 19 Le
prêtre qui aura offert ce sacrifice la mangera. Elle sera
mangée dans un lieu sacré sur le parvis de la Tente de
27 Réunion. 20 Tout ce qui en touchera la chair se trouvera
consacré et, si du sang gicle sur les vêtements, la tache
28 sera nettoyée *f* dans un lieu sacré. 21 Le vase d'argile où

---

*a*) Litt. « son ». Ce paragraphe est assez embrouillé (d'où sa disparition
de G*A*). Peut-être un sacrifice prévu pour le jour de l'investiture (cf. **8** 26 ;
**9** 4) est-il devenu sacrifice quotidien.

*b*) Au lieu de « moitié le matin et moitié le soir » Sam porte « et la moitié
entre les deux soirs ».

*c*) Le texte paraît légèrement corrompu.

*d*) Cette mixture et cette pâte ont des noms assyro-babyloniens (*rabîku*,
*tupînu*). Sur l'oblation rompue en morceaux, cf. **2** 5 s.

*e*) Le prêtre ne peut faire une offrande et la recevoir. Ceci était normal
dans le sacrifice de communion, mais la synthèse du Lévitique est fondée
sur l'idée de dette envers Dieu et non sur celle de participation à la vie
divine (sans nier pour autant celle-ci qui est liée à toute vie religieuse).

*f*) Litt. « tu nettoieras ».

²⁹ la viande aura cuit sera brisé et, si elle a cuit dans un vase de bronze, il sera frotté et rincé à grande eau. ²² Tout mâle parmi les prêtres en pourra manger, c'est une chose très ³⁰ sainte; ²³ mais on ne mangera aucune des victimes offertes pour le péché dont le sang aura été porté dans la Tente de Réunion pour faire l'expiation dans le sanctuaire : elles seront livrées au feu[a].

³¹
**D. Le sacrifice**
**de réparation.**

**7.** ¹ Voici le rituel du sacrifice de réparation : C'est une chose très sainte.

³² ² On immolera la victime là où l'on immole les holocaustes et le prêtre en fera couler ³³ le sang sur le pourtour de l'autel[b]. ³ Puis il en offrira toute la graisse[c] : la queue, la graisse qui couvre les entrailles, ³⁴ ⁴ les deux rognons, la graisse qui y adhère ainsi qu'aux lombes, la masse graisseuse qu'il détachera du foie et des ³⁵ rognons. ⁵ Le prêtre fera fumer ces morceaux à l'autel comme mets consumés pour Yahvé. C'est un sacrifice de ³⁶ réparation : ⁶ tout mâle parmi les prêtres en pourra manger. On en mangera dans un lieu sacré, c'est une chose très sainte.

³⁷
**Droits des prêtres.**

⁷ Tel le sacrifice pour le péché, tel le sacrifice de réparation : il y a pour eux même rituel. Au prêtre reviendra l'offrande avec laquelle[d] il a

---

*a)* On portait au sanctuaire les victimes offertes pour les seuls péchés du grand prêtre et de l'Assemblée. Cf. **4** 5, 16 et p. 31, note *f*.

*b)* G porte « sur la base du pourtour de l'autel ».

*c)* G ajoute « qui est au-dessus des entrailles ».

*d)* Litt. « ce avec quoi », déduction faite de ce qui a été offert à Dieu ou brûlé. La suite du paragraphe donne des précisions. Il ne s'agit pas ici des sacrifices de communion qui, dans cette section, sont traités à part (vv. 28 s); c'est dans la précédente section (**1-5**) que l'auteur inspiré s'efforçait de ramener le sacrifice de communion à la même notion que l'holocauste. Voir l'Introduction.

38 fait le rite d'expiation. ⁸ La peau de la victime qu'un
homme aura présentée à un prêtre pour être offerte en
39 holocauste[a] reviendra à ce prêtre. ⁹ Toute oblation cuite
au four, toute oblation préparée dans un moule ou sur la
40 plaque reviendra au prêtre qui l'aura offerte[b]. ¹⁰ Toute
oblation pétrie à l'huile ou sèche[c] reviendra à tous les fils
d'Aaron sans distinction[d].

**7.** 1

**E. Le sacrifice
de communion :**

2

**a) sacrifice
avec louange.**

¹¹ Voici le rituel du sacrifice de communion qu'on
offrira à Yahvé :

¹² Si on le joint à un sacrifice avec louange[e], on ajoutera à celui-ci une offrande
de gâteaux sans levain[f] pétris à l'huile, de galettes sans
levain frottées d'huile et de fleur de farine en mixture sous
3 forme de gâteaux pétris à l'huile. ¹³ On ajoutera donc cette
offrande aux gâteaux de pain fermenté et au sacrifice de
4 communion avec louange. ¹⁴ On présentera l'un des
gâteaux de cette offrande à titre de prélèvement pour
Yahvé; il reviendra au prêtre qui aura fait couler le sang
5 du sacrifice de communion. ¹⁵ La chair de la victime sera
mangée le jour même où sera faite l'offrande, sans en rien
laisser jusqu'au lendemain matin.

---

a) Cf. **1**.

b) Cf. **2** 4-7.

c) Cf. **5** 11-13; Nb **5** 15; Ez **44** 29.

d) Litt. « chacun comme son frère ». Ce v. prescrit l'égalité des
droits dans la descendance d'Aaron.

e) Cette « louange » est une « confession » des qualités et vertus de Dieu
(et probablement, par antithèse, de la faiblesse et du péché de l'homme,
comme dans les prières assyriennes dites « de la main levée »). Elle était
jointe à la combustion de pain fermenté (Am **4** 5; cf. Jr **17** 26; **33** 11)
et au sacrifice d'un animal (Lv **22** 29). Comme le fait notre texte,
Amos rattache ces sacrifices au sacrifice de communion.

f) G précise « de fleur de farine ».

6

                            [16] Si la victime est offerte
     **b) sacrifices**            à titre de sacrifice votif ou
 **votifs ou spontanés.**     spontané[a], elle sera mangée le
                               jour où on l'offrira ainsi que

7 le lendemain, [17] mais on jettera au feu le troisième jour ce
qui resterait de la chair de la victime.

8

                           [18] S'il arrive qu'au troi-
  **Règles générales**[b].   sième jour on mange de la
                           chair offerte en sacrifice de
communion, celui qui l'aura offerte ne sera pas agréé. Il
ne lui en sera pas tenu compte, c'est de la viande avariée[c]
et la personne qui en mangera portera le poids de sa faute.

9    [19] La chair qui aura touché quoi que ce soit d'impur
ne pourra être mangée, on la jettera au feu.

10    Quiconque est pur pourra manger de la chair, [20] mais
si quelqu'un se trouve en état d'impureté[d] et mange de
la chair d'un sacrifice de communion offert à Yahvé, celui-
11 là sera retranché de sa race[e]. [21] Si quelqu'un touche à une
impureté quelconque, d'homme, d'animal ou d'une chose
immonde quelle qu'elle soit, et mange ensuite la chair d'un
sacrifice de communion offert à Yahvé, celui-là sera
retranché de sa race.

---

   *a*) Amos (**4** 5) rattache également cette catégorie à la précédente. Le
rituel est moins strict pour ces sacrifices que pour la Pâque et les sacrifices
de communion, il n'est pas nécessaire de les achever au matin. Mais il ne
faut pas que la fête se prolonge trop car elle donnait facilement occasion
à des abus (Is **28** 7 s).
   *b*) Après les dispositions précédentes qui assimilent au sacrifice de
communion les sacrifices avec louange et sacrifices volontaires, viennent
les règles et interdits qui les concernent.
   *c*) Traduction probable mais incertaine du mot *piggûl*. Cf. **19** 7.
   *d*) Cf. ch. **11** et s.
   *e*) Être retranché des siens, pour un nomade, au désert, équivaut à une
condamnation à mort. Dans le Lévitique l'expression a pris un sens plus
riche : c'est être privé du secours divin et des promesses divines assurés à la
race d'Abraham. Saint Paul précisera ce qu'est cette race (Ga **4** 21-31;
Rm **9** 6 s).

12 13      <sup>22</sup> Yahvé parla à Moïse et dit : <sup>23</sup> Parle aux enfants
d'Israël, dis-leur :

Vous ne mangerez aucune graisse de taureau, de mou-
14   ton ou de chèvre. <sup>24</sup> La graisse d'une bête morte ou
déchirée pourra servir à tout usage, mais vous n'en mange-
15   rez point. <sup>25</sup> Quiconque en effet mange la graisse d'un
animal dont on offre un mets à Yahvé, celui-là sera
retranché de sa race.

16      <sup>26</sup> Où que vous habitiez, vous ne mangerez pas de
17   sang<sup>a</sup>, qu'il s'agisse d'oiseau ou d'animal. <sup>27</sup> Quiconque
mange du sang, quel qu'il soit, celui-là<sup>b</sup> sera retranché de
sa race.

18                              <sup>28</sup> Yahvé parla à Moïse et

19      **Part des prêtres.**   dit : <sup>29</sup> Parle aux enfants
d'Israël, dis-leur :

Celui qui offrira un sacrifice de communion à Yahvé lui
20   apportera pour offrande une part de son sacrifice. <sup>30</sup> Il
apportera de ses propres mains le mets de Yahvé, c'est-à-
dire la graisse qui adhère à la poitrine. Il l'apportera
ainsi que la poitrine avec laquelle il doit faire le geste de
21   présentation devant Yahvé<sup>c</sup>. <sup>31</sup> Le prêtre fera fumer la
graisse à l'autel et la poitrine reviendra à Aaron et à ses fils.
22      <sup>32</sup> A titre de prélèvement sur vos sacrifices de communion,
23   vous donnerez au prêtre la cuisse droite<sup>d</sup>. <sup>33</sup> Cette cuisse

---

*a*) Cf. Gn **9** 4 et Lv **3** 17.

*b*) L'auteur semble insister sur la responsabilité personnelle du coupable (Jr **31** 29 s; Dt **24** 16; Ez **18**).

*c*) « Geste de présentation », souvent traduit par « balancement ». Ce
geste consiste à tendre un objet vers la divinité pour le lui offrir, puis à
ramener son bras vers soi. Le mot désigne un mouvement d'aller et
retour de la main.

*d*) Syr a « vous la donnerez à Yahvé ». — La cuisse droite a une grande
importance dans les cultes. C'est la partie comestible la plus proche des
organes de reproduction, donc du mystère de la vie. La droite est le côté
favorable.

droite sera la part de celui des fils d'Aaron qui aura offert
24 le sang et la graisse du sacrifice de communion. ³⁴ Je
retiens en effet aux enfants d'Israël sur leurs sacrifices
de communion cette poitrine et cette cuisse*ᵃ*; je les donne
à Aaron le prêtre, et à ses fils : c'est une loi perpétuelle qui
oblige les enfants d'Israël.

25                                              ³⁵ Telle fut la part*ᵇ* d'Aa-
      **Conclusion.**                   ron sur les mets consumés de
                              Yahvé et celle de ses fils, le
jour où il les présenta à Yahvé pour être ses prêtres.
26 ³⁶ C'est ce que les commandements de Yahvé obligent les
enfants d'Israël à leur donner le jour de leur onction : loi
perpétuelle pour tous leurs descendants.

27     ³⁷ Tel est le rituel concernant l'holocauste, l'oblation, le
sacrifice pour le péché, les sacrifices de réparation, d'in-
28 vestiture*ᶜ* et de communion. ³⁸ C'est ce que Yahvé a
commandé à Moïse sur le mont Sinaï le jour où il ordonna
aux enfants d'Israël de présenter leurs offrandes à Yahvé
dans le désert du Sinaï*ᵈ*.

--------------------

   *a*) Litt. « la poitrine à offrir en geste de présentation et la cuisse à préle-
ver ». Le Deutéronome (**18** 3) attribuait au prêtre d'autres parties de l'animal.

   *b*) Litt. « part d'onction ». Comme en **6** 12 il est fait ici allusion au premier sacrifice d'investiture. Annoncé en Ex **29** il va être décrit en Lv **8-10**.
Cette conclusion composite fait transition entre la loi des sacrifices (résumée
au v. 38) et cette nouvelle section.

   *c*) L'investiture ou ordination des prêtres. Cf. ch. **8**.

   *d*) On retrouve encore dans ce v. le caractère composite de la conclusion. La localisation au mont Sinaï répond à **8** 35 s, qui parle d'une
révélation directe sur cette montagne. Alors que la Loi des sacrifices est
présentée comme révélée dans la Tente de Réunion (**1** 1), laquelle n'était
pas sur le Sinaï, mais au pied de la montagne.

## II

## *L'INVESTITURE DES PRÊTRES*

**Rites d'ordination**[a]. **8.** [1] Yahvé parla à Moïse et dit :

[2] « Prends Aaron, ses fils avec lui, les vêtements[b], le chrême[c], le taureau du sacrifice pour le péché, les deux béliers, la corbeille des azymes. [3] Puis convoque toute la communauté à l'entrée de la Tente de Réunion. »

[4] Moïse suivit les ordres de Yahvé, la communauté se réunit à l'entrée de la Tente de Réunion, [5] et Moïse lui dit : « Voici ce que Yahvé a commandé de faire. »

[6] Il fit approcher Aaron et ses fils et les lava dans l'eau. [7] Il lui[d] mit la tunique, lui passa la ceinture, le revêtit du manteau et plaça sur lui l'éphod[e]. Puis il le ceignit de l'écharpe de l'éphod dans lequel il le drapa. [8] Il lui imposa le pectoral, où il mit l'Urim et le Tummim[f]. [9] Sur la tête

---

*a*) Il en a déjà été question en Ex **28** 1-29 35; **39** 1-32; **40** 12-15. — Ce ch., sous la forme d'un récit, celui de l'investiture d'Aaron et de ses fils, donne le rituel de l'investiture du grand prêtre. Ce rituel comprend la vêture et l'onction, vv. 7-13, puis un sacrifice pour le péché, nécessaire pour consacrer l'autel, vv. 14-17, puis l'holocauste, vv. 18-21, et enfin le sacrifice d'investiture, vv. 22-35, qui représente l'ordination proprement dite. L'entrée en fonction du prêtre suit au ch. **9**.

*b*) Sur ces vêtements, cf. Ex **39**.

*c*) Sur le chrême, cf. Ex **30** 22-34.

*d*) Il n'est plus question que d'Aaron seul.

*e*) L'*éphod* désigne dans la Bible soit une idole (Jg **8** 27), soit un objet cultuel (1 S **21** 10), soit un vêtement comme ici. L'origine égyptienne du mot est probable; c'était une toile de lin qui, en certains cas, avait une destination cultuelle : '*fd ntr*. L'écharpe semble venir aussi d'Égypte (*hsb*) : c'était une bande d'étoffe croisée. Sur l'éphod, voir aussi Ex **28** 6-12.

*f*) Sur le pectoral et la manière dont il était assujetti à l'éphod, voir

il lui mit le turban[a], et sur le devant du turban la lame
d'or[b]; c'est le saint diadème tel que Yahvé le prescrivit
à Moïse.

[10] Moïse prit alors le chrême[c], il oignit pour les consacrer la Demeure et tout ce qui s'y trouvait. [11] Il fit sept
aspersions sur l'autel et oignit pour les consacrer l'autel et
ses ustensiles, le bassin[d] et son socle. [12] Il versa du chrême
sur la tête d'Aaron, et l'oignit pour le consacrer.

[13] Moïse fit alors approcher les fils d'Aaron, qu'il revêtit
de tuniques, auxquels il passa des ceintures et fixa des
calottes[e], comme Yahvé l'avait commandé à Moïse.

[14] Puis il fit approcher le taureau du sacrifice pour le
péché[f]. Aaron et ses fils posèrent[g] leur main sur la tête de

Ex **39** 8 s. Il contenait *Urim* et *Tummim* (Dt **33** 8; 1 S **14** 41), sans doute
sorts sacrés. Le Lévitique a gardé, au moins à titre de symbole, ce moyen
archaïque de consulter la divinité.

*a*) Le turban était un insigne royal (Ez **21** 31), peut-être en lin (l'origine
du terme hébreu semble être le mot égyptien *tnf*).

*b*) La « lame d'or », ou « fleur d'or », qui est peut-être la fleur *djdj* des
Égyptiens (elle servait d'ornement), tient ici la place que le serpent *uraeus*
avait sur le front du pharaon. Dans la théocratie d'Israël le grand prêtre
remplace le roi des autres peuples de l'Antiquité orientale.

*c*) On s'oignait d'huile pour les cérémonies comme on se parfumait.
C'était une distinction (Jg **9** 9; cf. Textes de Pyramides en Égypte;
Maqlu, VII, 31 en Assyrie). On connaissait ses avantages hygiéniques à
titre d'onguent, d'où son utilisation dans les rites médico-magiques. Avant
de procéder à certains exorcismes le prêtre assyrien s'oignait d'huile. Il n'est
pas sûr qu'au jour de leur intronisation, rois assyro-babyloniens ou Pha-
raons égyptiens aient reçu une onction d'huile, mais le roi israélite fut oint
dès les origines de la monarchie (p. 28, note *c*) : la force divine est en lui
comme dans les pierres sacrées (Gn **28** 18), la Tente et les objets cultuels.
D'après Ex **30** 22-25 le chrême contenait plus de parfums que d'huile.

*d*) Autre traduction : « plate-forme » (Albright; cf. 2 Ch **6** 13). Il la
faudrait consacrer, car c'est là qu'est versé le sang de la victime et que se
tient le grand prêtre.

*e*) Sans doute des calottes coniques analogues à celles que portaient les
prêtres assyro-babyloniens.

*f*) Une fois achevée la cérémonie de vêture, commence un sacrifice pour
le péché, qui purifiera l'autel et lui donnera la possibilité de servir de lieu
de rencontre entre la divinité et l'homme. Sans cela il resterait dans l'ordre
du profane, souillé par le péché de l'homme.

*g*) Sam et G ont le verbe au singulier; de même aux vv. 18 et 22.

cette victime, [15] et Moïse l'immola. Il prit alors le sang,
avec son doigts il en déposa sur les cornes du pourtour
de l'autel pour ôter le péché de celui-ci. Puis il versa le
sang à la base de l'autel, qu'il consacra en faisant sur lui le
rite d'expiation. [16] Il prit ensuite toute la graisse qui
enveloppe les entrailles, la masse de graisse qui part du
foie, les deux rognons et leur graisse, et il les fit fumer à
l'autel. [17] Quant à la peau du taureau, sa chair et sa fiente,
il les brûla hors du camp comme Yahvé l'avait commandé
à Moïse.

[18] Il fit alors approcher le bélier de l'holocauste[a]. Aaron
et ses fils posèrent leur main sur la tête de ce bélier, [19] et
Moïse l'immola. Il en fit couler le sang sur le pourtour de
l'autel. [20] Puis il dépeça le bélier en quartiers et fit fumer
la tête, les quartiers et la graisse. [21] Il lava dans l'eau les
entrailles et les jambes[b] et fit fumer à l'autel le bélier tout
entier. C'était un holocauste en parfum d'apaisement, un
mets consumé pour Yahvé, comme Yahvé l'avait commandé à Moïse.

[22] Il fit alors approcher le second bélier[c], bélier du sacrifice d'investiture. Aaron et ses fils posèrent leur main sur
la tête de ce bélier, [23] et Moïse l'immola. Il en prit du sang
qu'il déposa sur le lobe de l'oreille droite d'Aaron, sur le
pouce de sa main droite et sur le gros orteil de son pied
droit. [24] Puis il fit approcher les fils d'Aaron et déposa de
ce sang sur le lobe de leur oreille droite, sur le pouce de
leur main droite et sur le gros orteil de leur pied droit.
Moïse fit ensuite couler le sang sur le pourtour de l'autel;
[25] il prit aussi la graisse : la queue, toute la graisse qui

---

*a*) Le bélier apparaît dans des sacrifices anciens (Gn **15** 9; **22** 13) et était
la victime désignée pour les sacrifices de réparation (Lv **5** 15).

*b*) Sam porte : « la tête, les quartiers, la graisse et les entrailles. Il lava
dans l'eau les jambes ».

*c*) Ici commence l'ordination proprement dite.

adhère aux entrailles, la masse de graisse qui part du foie,
les deux rognons et leur graisse, la cuisse droite. ²⁶ De la
corbeille des azymes[a] placée devant Yahvé il prit un
gâteau d'azyme, un gâteau de pain à l'huile, et une galette
qu'il joignit aux graisses et à la cuisse droite. ²⁷ Il mit le
tout dans les mains d'Aaron et dans celles de ses fils et
fit le geste de présentation devant Yahvé. ²⁸ Moïse les
reprit alors de leurs mains et les fit fumer à l'autel en plus
de l'holocauste. C'était le sacrifice d'investiture[b] en parfum d'apaisement, un mets consumé pour Yahvé. ²⁹ Moïse
prit aussi la poitrine et fit le geste de présentation devant
Yahvé. Ce fut la part du bélier d'investiture qui revint à
Moïse, comme Yahvé l'avait commandé à Moïse.

³⁰ Moïse prit ensuite du chrême, et du sang qui était sur
l'autel; il en aspergea Aaron et ses vêtements ainsi que
ses fils et leurs vêtements. Il consacra par là Aaron et ses
vêtements ainsi que ses fils et leurs vêtements[c].

³¹ Moïse dit alors à Aaron et à ses fils : « Faites cuire
la viande à l'entrée de la Tente[d] de Réunion. Vous la
mangerez là, ainsi que le pain déposé dans la corbeille du
sacrifice d'investiture, comme je l'ai commandé en disant :
' Aaron et ses fils le mangeront. ' ³² Ce qui reste de la
viande et du pain, vous le brûlerez. ³³ Sept jours durant
vous ne quitterez pas l'entrée de la Tente de Réunion,
jusqu'à ce que s'achève le temps de votre investiture, car

a) G précise « d'investiture ».

b) Investiture, litt. « remplissement (des mains) », cf. v. 33; Ex **28** 41;
Jg **17** 5. On retrouve cette expression dans le rituel assyrien. Elle évoque
le geste du fidèle qui dépose dans les mains du prêtre les offrandes dont une
partie restera sa propriété.

c) G omet « Il consacra... et leurs vêtements ». — Ce v. rompt le développement; c'est une répétition partielle du v. 12, et certains auteurs y
voient une addition, destinée à introduire dans le rituel la mention des fils
d'Aaron. Comparer vv. 6 et 13 à 7-12.

d) G porte « dans le parvis de la Tente ».

il faudra sept jours pour votre investiture[a]. [34] Yahvé a commandé de procéder comme on a procédé aujourd'hui pour accomplir sur vous le rite d'expiation, [35] et, pendant sept jours, jour et nuit, vous demeurerez à l'entrée de la Tente de Réunion en observant le rituel de Yahvé; ainsi vous ne mourrez pas[b]. C'est en effet l'ordre que j'ai reçu. » [36] Aaron et ses fils firent tout ce que Yahvé avait commandé par l'intermédiaire de Moïse.

**Entrée en fonction des prêtres.**

**9.** [1] Au huitième jour Moïse convoqua Aaron, ses fils et les anciens d'Israël; [2] il dit à Aaron : « Prends un veau[c] pour faire un sacrifice pour le péché et un bélier pour un holocauste, l'un et l'autre sans défaut, et amène-les devant Yahvé. » [3] Tu diras ensuite aux enfants d'Israël[d] : « Prenez un bouc pour offrir un sacrifice pour le péché, un veau et un agneau d'un an[e] (tous deux sans défaut) pour un holocauste, [4] un taureau et un bélier pour des sacrifices de communion à immoler devant Yahvé, enfin une oblation pétrie à l'huile. Aujourd'hui en effet Yahvé vous apparaîtra. »

[5] Ils amenèrent devant la Tente de Réunion ce qu'avait commandé Moïse, puis toute la communauté s'approcha et se tint devant Yahvé. [6] Moïse dit : « Voici ce que Yahvé

---

*a*) Autre traduction : « car pendant ces sept jours on remplira votre main », les fidèles vous nourriront sept jours.

*b*) Nos textes considèrent comme très grave toute atteinte aux ordres de Dieu, tant dans l'ordre rituel que dans l'ordre moral (voir la suite **10** I s).

*c*) Litt. « un veau, un bovin ». L'installation s'achève par le sacrifice où pour la première fois les prêtres vont mettre le peuple en présence de son Dieu.

*d*) Sam et G ont « aux anciens d'Israël ».

*e*) Litt. « fils de l'année » ou, expression équivalente (**12** 6), « de son année ». Voir la note sur **23** 12.

vous a commandé de faire pour que sa gloire[a] vous apparaisse. » [7] Moïse alors s'adressa à Aaron : « Approche-toi de l'autel, offre ton sacrifice pour le péché et ton holocauste, et fais ainsi le rite d'expiation pour toi et pour ta maison. Présente alors l'offrande du peuple et fais pour lui le rite d'expiation comme l'a commandé Yahvé. »

[8] Aaron s'approcha de l'autel, immola le veau du sacrifice pour son propre péché[b]. [9] Puis les fils d'Aaron lui présentèrent le sang; il y trempa le doigt et en déposa sur les cornes de l'autel, puis il versa le sang à la base de l'autel. [10] La graisse du sacrifice pour le péché, les rognons et la masse de graisse qui part du foie, il les fit fumer à l'autel comme Yahvé l'avait commandé à Moïse; [11] la chair et la peau, il les brûla hors du camp.

[12] Il[c] immola ensuite l'holocauste, dont les fils d'Aaron lui remirent le sang; il le fit couler sur le pourtour de l'autel. [13] Ils lui remirent aussi la victime dépecée en quartiers, ainsi que la tête, et il les fit fumer à l'autel. [14] Il lava entrailles et jambes et les fit fumer à l'autel en plus de l'holocauste.

[15] Il présenta[d] alors l'offrande du peuple : il prit le bouc du sacrifice pour le péché du peuple, il l'immola et en fit un sacrifice pour le péché de la même manière que pour le

---

**9** 7. « *ta maison* » bêtᵉkâ *G ;* « *le peuple* » hâᶜâm *H.*

---

a) La gloire de Yahvé est cette présence toute-puissante et transcendante que le clergé est chargé de donner au peuple. Elle était parfois matérialisée par la nuée (Ex **40** 3 s; 1 R **8** 10), symbole, chez les Sémites de l'Ouest, de la présence du grand dieu, le dieu de l'orage; les Israélites ont conservé beaucoup des symboles de leurs ancêtres.

b) L'épître aux Hébreux insistera sur l'obligation qui incombe aux prêtres lévites de sacrifier pour eux-mêmes avant de le faire pour le peuple (He **9** 6 s).

c) Aaron.

d) Gᴮ a les verbes au pluriel.

premier[a]. [16] Il fit alors approcher l'holocauste et procéda
selon la règle. [17] Puis, ayant fait approcher l'oblation, il en
prit une pleine poignée qu'il fit fumer à l'autel en plus de
l'holocauste du matin[b].

[18] Enfin il immola le taureau et le bélier en sacrifice de
communion pour le peuple. Les fils d'Aaron lui en
remirent le sang et il le fit couler sur le pourtour de l'autel.
[19] Les graisses de ce taureau et de ce bélier, la queue, la
graisse enveloppante[c], les rognons, la masse de graisse qui
part du foie, [20] il les posa sur les poitrines et les fit fumer à
l'autel. [21] Avec les poitrines et la cuisse droite Aaron fit le
geste de présentation devant Yahvé, comme Yahvé l'avait
commandé à Moïse.

[22] Aaron éleva les mains vers le peuple et le bénit. Ayant
ainsi accompli le sacrifice pour le péché, l'holocauste et le
sacrifice de communion, il descendit; [23] avec Moïse il
entra dans la Tente de Réunion. Puis ils en sortirent tous
deux pour bénir le peuple[d]. La gloire de Yahvé se fit voir
de tout le peuple, [24] une flamme jaillit de devant Yahvé,
qui dévora sur l'autel l'holocauste et les graisses[e]. A cette

---

20. « *il les posa* » *conj.*; « *ils les posèrent* » H.

---

*a*) Cf. vv. 8 s.

*b*) L'holocauste quotidien n'a pu commencer qu'après l'investiture
d'Aaron; cette phrase est donc d'un auteur pour lequel ce ch. est
moins une histoire que le rituel de l'investiture du grand prêtre. Une oblation accompagnait l'holocauste (Nb **28** 5).

*c*) Le texte hébreu se contente de résumer ici l'énumération habituelle.
Le grec a une énumération plus complète.

*d*) Peut-être ces vv. bloquent-ils deux traditions; dans l'une Aaron est
seul à bénir, dans l'autre il bénit Moïse. Ils entrent au préalable dans la
Tente car c'est là qu'ils ont accès auprès de Dieu et peuvent obtenir ses
bienfaits.

*e*) Ceci rappelle le sacrifice d'Élie sur le Carmel (1 R **18**). L'auteur
souligne ici par un signe la vérité du sacerdoce d'Aaron.

vue le peuple entier poussa des cris de jubilation et tous
tombèrent la face contre terre.

**Réglementation
complémentaire**[a].
**A. Gravité
des irrégularités.
Nadab et Abihu.**

**10.** [1] Les fils d'Aaron,
Nadab et Abihu, prirent chacun leur encensoir. Ils y
mirent du feu sur lequel ils
posèrent de l'encens, et ils
présentèrent devant Yahvé
un feu irrégulier[b] qu'il ne
leur avait pas prescrit. [2] De devant Yahvé jaillit alors une
flamme qui les dévora, et ils périrent en présence de
Yahvé[c]. [3] Moïse dit alors à Aaron : « C'est là ce que
Yahvé avait déclaré par ces mots :

En mes proches je montre ma sainteté,

et devant tout le peuple je montre ma gloire[d]. »

Aaron resta muet.

**B. Enlèvement
des corps.**

[4] Moïse appela Mishaël et
Éliçaphân, fils d'Uzziel oncle
d'Aaron[e], et leur dit : « Approchez et emportez vos
frères loin du sanctuaire, hors du camp. » [5] Ils s'appro-

---

*a*) Le récit continue par quelques anecdotes. Elles ont pour but d'introduire certaines règles rituelles.

*b*) D'après Ex **30** 7, c'est à Aaron de faire fumer l'encens. L'irrégularité
du feu offert par Nadab et Abihu est difficile à préciser, à moins d'admettre
que le récit primitif des ch. **8** et **9** auquel celui-ci fait suite ne contenait
que la seule investiture d'Aaron (cf. **8** 7, 30 et les notes) : l'irrégularité
viendrait de ce que Nadab et Abihu ne sont pas prêtres (le mot « irrégulier »
a le sens de « laïc » en Lv **22** 10 et Nb **1** 51). On peut supposer aussi que ce
feu n'avait pas été offert au temps prescrit, mais ce n'est là qu'une hypothèse.

*c*) Semblable action du feu divin en Nb **16** 35 et 2 R **1** 10.

*d*) Ce distique n'est pas connu par ailleurs. On y distingue deux aspects
de la transcendance de Dieu : sa gloire extérieure que l'on peut contempler
si l'on fait partie du peuple saint (cf. Ex **24** 16), son inaccessibilité (sainteté)
à laquelle participent (cf. Lv **19** 2) ses proches (prêtres) mais non les
autres.

*e*) Sur cette parenté, cf. Ex **6** 18 et 22.

chèrent et les emportèrent dans leurs propres tuniques[a], hors du camp, comme Moïse l'avait dit.

[6] Moïse dit à Aaron et à ses fils, Éléazar et Itamar : « Ne déliez point vos cheveux et ne déchirez point vos vêtements[b], vous ne mourrez pas. C'est contre la communauté tout entière qu'Il s'est irrité, c'est toute la maison d'Israël qui pleurera vos frères, ces victimes du feu de Yahvé[c]. [7] Ne quittez pas l'entrée de la Tente de Réunion de peur que vous ne mouriez, vous avez eu en effet sur vous l'huile de l'onction de Yahvé[d]. » Ils se conformèrent aux paroles de Moïse.

**C. Règles de deuil spéciales aux prêtres.**

[8] Yahvé parla à Aaron et dit :

**D. Interdiction de l'usage du vin.**

[9] « Quand vous venez à la Tente de Réunion[e], toi et tes fils avec toi, ne buvez ni vin ni autre boisson fermentée[f]; alors vous ne mourrez pas. C'est pour tous vos descendants une loi perpétuelle. [10] Qu'il en soit de même[g] quand vous séparez le sacré et le profane, l'impur et le pur, [11] et quand vous faites connaître aux enfants d'Israël n'importe

---

*a)* Ils n'ont pas eu le temps de se préparer et doivent utiliser leurs tuniques pour éviter le contact impur d'un cadavre.

*b)* Rites de deuil. L'un d'eux consiste en règle générale à se couper les cheveux (Lv **19** 27; **21** 5; Ez **44** 20), aussi certains se demandent si cette « libération » des cheveux (sens exigé par le mot hébreu) ne revient pas à les couper et à les jeter.

*c)* Litt. « cette combustion qu'a allumée Yahvé ».

*d)* Encore une précaution pour assurer la séparation entre le sacré et le profane.

*e)* G ajoute « ou quand vous approchez de l'autel ».

*f)* Cf. Ez **44** 21.

*g)* Le v. 10 est peut-être une addition qui annonce la loi de pureté (cf. **11** 47), il étend la prohibition à l'ensemble des fonctions sacerdotales.

laquelle des lois que Yahvé a édictées pour vous par l'intermédiaire de Moïse. »

**E. La part
des prêtres
sur les offrandes.**

[12] Moïse dit à Aaron et à ses fils survivants, Éléazar et Itamar : « Prenez l'oblation qui reste des mets de Yahvé. Mangez-en les azymes à côté de l'autel, car c'est chose très sainte[a]. [13] Puis mangez-la dans un lieu sacré : c'est la part prescrite pour toi et tes fils sur les mets de Yahvé; ainsi en ai-je reçu l'ordre.

[14] « La poitrine de présentation et la cuisse de prélèvement[b], vous les mangerez dans un lieu pur[c], toi, tes fils et tes filles avec toi; c'est la part prescrite, pour toi et tes fils, celle que l'on te donne sur les sacrifices de communion des enfants d'Israël. [15] La cuisse de prélèvement et la poitrine de présentation qui accompagnent les graisses consumées te reviennent, à toi et à tes fils avec toi, après qu'on les aura offertes en geste de présentation devant Yahvé; ceci en vertu d'une loi perpétuelle, comme Yahvé l'a commandé. »

**F. Règle spéciale
concernant le sacrifice
pour le péché.**

[16] Moïse s'enquit alors du bouc offert en sacrifice pour le péché[d] : voilà qu'on l'avait brûlé[e] ! Il s'irrita[f] contre Éléazar et Itamar, les fils

---

a) Sur le caractère « très saint » des azymes, cf. **6** 9 et la note. L'autre part de l'oblation n'a pas le même caractère que ces azymes; au lieu du sacrifice de la Pâque elle évoque les sacrifices cananéens. Aussi peut-elle être consommée plus loin de l'autel.

b) Sur cette expression, cf. **7** 34 et la note.

c) G a « dans un lieu sacré ».

d) Cf. **9** 15.

e) D'après **9** 15, il fallait en effet traiter le bouc du péché du peuple comme le veau du péché du prêtre, donc le brûler (**9** 11).

f) En effet, d'après Lv **4** et **6** 23, un traitement différent s'imposait. Dans le cas du sacré il fallait porter le sang et brûler la victime, mais, dans le cas du profane, manger la victime sans en porter le sang au sanctuaire.

survivants d'Aaron : ¹⁷ « Pourquoi, dit-il, n'avez-vous
pas mangé cette victime dans le lieu sacré*ᵃ* ? Car c'est
une chose très sainte qui vous a été donnée pour
ôter la faute de la communauté en faisant sur elle le
rite d'expiation devant Yahvé*ᵇ*. ¹⁸ Puisque le sang n'en
a pas été porté à l'intérieur du sanctuaire, vous y
deviez manger la chair comme je l'avais commandé*ᶜ*. »
¹⁹ Aaron dit à Moïse : « Voici qu'ils*ᵈ* ont offert aujour-
d'hui leur sacrifice pour le péché et leur holocauste devant
Yahvé*ᵉ* ! Qu'il se fût agi de moi, si j'avais mangé aujour-
d'hui de la victime pour le péché, cela eût-il paru bon à
Yahvé ? » ²⁰ Moïse entendit, et cela lui parut bon*ᶠ*.

## III

### *RÈGLES RELATIVES AU PUR*<br>*ET A L'IMPUR*ᵍ

**Animaux purs**
**et impurs :**
**A. Animaux terrestres.**

**11.** ¹ Yahvé parla à Moïse
et à Aaron, et leur dit :
² Parlez aux enfants d'Israël,
dites-leur :

Voici, entre tous les ani-

---

*a*) Cf. **6** 19.

*b*) Cf. **4** 20. Il n'y est pas dit cependant que la manducation par les
prêtres fasse partie du rite d'expiation.

*c*) G porte « comme Yahvé me l'a commandé », Syr et Targ « comme
j'en ai reçu l'ordre ». — Ce passage a été rédigé par des juristes très atten-
tifs. Après avoir considéré l'assemblée comme profane, Moïse accepte de
la traiter comme sacrée.

*d*) Les fils d'Aaron.

*e*) Aaron se sent atteint par la faute de ses fils et il invoque la déclaration
de Moïse en **10** 3, à laquelle il n'avait rien répliqué. Voir la suite en **16**.

*f*) La phrase est équivoque. On admet d'ordinaire qu'il faut y voir une
approbation des paroles d'Aaron. Voir la note.

*g*) Ces règles reposent sur de très anciens interdits religieux : est pur

maux terrestres, les bêtes que vous pourrez manger.

³ Tout animal qui a le sabot fourchu, fendu en deux ongles, et qui rumine[a], vous pourrez le manger. ⁴ Voici seulement, parmi ceux qui ruminent ou qui ont le sabot fourchu, les espèces que vous ne pourrez manger. Vous tiendrez pour impur le chameau parce que, bien que ruminant, il n'a pas le sabot fourchu; ⁵ vous tiendrez pour impur l'hyrax parce que, bien que ruminant, il n'a pas le sabot fourchu; ⁶ vous tiendrez pour impur le lièvre[b] parce que, bien que ruminant, il n'a pas le sabot fourchu; ⁷ vous tiendrez pour impur le porc parce que tout en ayant le sabot fourchu, fendu en deux ongles, il ne rumine pas. ⁸ Vous ne mangerez pas de leur chair ni ne toucherez à leur cadavre, vous les tiendrez pour impurs.

**B. Animaux aquatiques.** ⁹ Parmi tout ce qui vit dans l'eau, vous pourrez manger ceci.

---

ce qui peut approcher de Dieu, est impur ce qui rend inapte à son culte ou est exclu du culte. Les animaux purs sont ceux qui peuvent être offerts à Dieu (Gn **7** 2), les animaux impurs sont ceux que les païens consacrent à leurs faux dieux ou qui, paraissant répugnants ou mauvais à l'homme, sont censés déplaire à Dieu (Lv **11**). D'autres règles touchent la naissance (**12**), la vie sexuelle (**15**), la mort (**21** 1, 11; Nb **19** 11-16), mystérieux domaines où agit Dieu, le maître de la vie. Un signe de corruption comme la « lèpre » (**13** 1 s) rend également impur. Ayant un rapport avec le culte, la notion de pureté est liée à celle de sainteté (**11** 44 et **17** 1 s). Mais, au delà de cette pureté rituelle, les prophètes insisteront sur la purification du cœur (Is **1** 16; Jr **33** 8, cf. Ps **51** 12), préparant l'enseignement de Jésus (Mt **15** 10-20 p), qui libère ses disciples de prescriptions dont on ne retenait plus que l'aspect matériel (Mt **23** 24-26 p). Voir aussi Ac **10** 9-16; **11** 1-8, où s'exprime encore la répugnance des apôtres à l'égard des animaux impurs.

a) Le prototype de l'animal pur est le bovidé ou le mouton. Les Israélites ont tenté une classification *a posteriori*, à partir de signes qui leur ont paru distinctifs. Mais cette classification n'est qu'empirique. Effort de rationalisation, tributaire de la science du temps. L'intérêt religieux réside bien plus dans le respect avec lequel on maintient ces antiques interdits : on ne se nourrit pas de n'importe quoi.

b) Le lièvre n'est classé comme ruminant (et l'hyrax de même) qu'en vertu du mouvement de ses mâchoires, analogue à celui des ruminants.

Tout ce qui a nageoires et écailles et vit dans l'eau, mers ou fleuves[a], vous en pourrez manger. ¹⁰ Mais tout ce qui n'a point nageoires ou écailles, dans les mers ou dans les fleuves, entre toutes les bestioles des eaux et tous les êtres vivants qui s'y trouvent, vous les tiendrez pour immondes[b]. ¹¹ Vous les tiendrez pour immondes, vous n'en mangerez point la chair et vous aurez en dégoût leurs cadavres. ¹² Tout ce qui vit dans l'eau sans avoir nageoires ou écailles, vous le tiendrez pour immonde.

**C. Oiseaux.**

¹³ Voici, parmi les oiseaux[c], ceux que vous tiendrez pour immondes ; on n'en mangera pas, c'est chose immonde :

le vautour-griffon, le gypaète, l'orfraie, ¹⁴ le milan noir, les différentes espèces de milan rouge, ¹⁵ toutes les espèces de corbeau, ¹⁶ l'autruche, le chat-huant, la mouette et les différentes espèces d'épervier, ¹⁷ le hibou, le cormoran, la chouette, ¹⁸ l'ibis, le pélican, le vautour blanc, ¹⁹ la cigogne et les différentes espèces de héron, la huppe, la chauve-souris.

**D. Bestioles ailées.**

²⁰ Toutes les bestioles ailées qui marchent sur quatre pattes[d], vous les tiendrez pour immondes. ²¹ De toutes ces bestioles ailées qui marchent sur quatre pattes vous ne pourrez manger que

---

*a*) En ce cas le prototype de l'animal impur paraît être le serpent, auquel ressemblent les poissons sans écailles ni nageoires.

*b*) « Immondes », litt. « répugnants » : qui entraînent le rejet, le dégoût.

*c*) L'énumération varie suivant les versions. Il y a encore désaccord entre les spécialistes sur nombre d'identifications. Pour certains il ne s'agirait pas d'orfraie, mais d'autour, ni de cormoran mais de plongeon.

*d*) Les insectes ailés, ainsi désignés comme « quadrupèdes » pour les distinguer des oiseaux. L'exception du v. 21 vise les sauterelles. En effet, sur les reliefs du palais de Sennachérib on peut distinguer des brochettes de sauterelles.

celles-ci : celles qui ont des jambes au-dessus de leurs pieds pour sauter sur le sol. ²² Voici celles dont vous pourrez manger : les différentes espèces de sauterelles migratrices, de sauterelles solham, de sauterelles hargol, de sauterelles hagab. ²³ Mais toutes les bestioles ailées à quatre pattes, vous les tiendrez pour immondes.

**Le contact des animaux impurs.**

²⁴ Vous contracterez d'elles une impureté[a] : quiconque touchera leur cadavre sera impur jusqu'au soir. ²⁵ Quiconque transportera leur cadavre devra nettoyer ses vêtements et sera impur jusqu'au soir[b]. ²⁶ Quant aux animaux qui ont un sabot, mais non fendu[c], et qui ne ruminent pas, vous les tiendrez pour impurs, quiconque les touchera sera impur. ²⁷ Ceux des animaux à quatre pattes qui marchent sur la plante des pieds[d], vous les tiendrez pour impurs; quiconque touchera leur cadavre sera impur jusqu'au soir, ²⁸ et quiconque transportera leur cadavre devra nettoyer ses vêtements et sera impur jusqu'au soir. Vous les tiendrez pour impurs.

**E. Bestioles vivant à terre.**

²⁹ Voici, parmi les bestioles qui rampent sur terre, celles que vous tiendrez pour impures : la taupe, le rat et

---

**11** 21. « *celles qui ont des jambes* » ăšèr-lô kᵉrâ'ayim *Vers.*; « *celles qui n'ont pas de jambes* » ăšèr-lo' kᵉrâ'ayim *H.*

*a)* A propos des insectes l'auteur précise les règles sur la contamination par contact. Tout contact implique communication et participation, d'où ces mesures dont on trouve maints exemples chez les primitifs. L'auteur inspiré les garde mais les interprète en fonction de la transcendance de Yahvé.

*b)* Sam : « devra nettoyer ses vêtements et (les) lavera avec de l'eau ».

*c)* G porte au contraire « sabot fendu ».

*d)* Il s'agit, non des seuls « plantigrades », mais de tous les quadrupèdes (chiens, chats, ours...) dépourvus de sabot.

les différentes espèces de lézards : [30] gecko, koah, letaah, caméléon et tinchamète[a].

**Autres règles sur les contacts impurs.** [31] Parmi toutes les bestioles ce sont ces animaux que vous tiendrez pour impurs. Quiconque les touchera quand ils sont morts sera impur jusqu'au soir.

[32] Tout objet sur lequel tombe l'un d'entre eux, une fois mort, en devient impur : tout ustensile de bois, vêtement, peau, sac, quelque ustensile que ce soit. On le passera dans l'eau et il restera impur jusqu'au soir; puis il sera pur. [33] Tout vase d'argile dans lequel tombera l'un d'entre eux, vous le briserez; son contenu en est impur. [34] Toute nourriture dont on mange sera impure, même humectée d'eau; tout breuvage dont on boit sera impur, quel qu'en soit le récipient. [35] Tout ce sur quoi tombe l'un de leurs cadavres sera impur; four et fourneau seront détruits car impurs ils sont et impurs ils seront pour vous [36] (toutefois sources, citernes, et étendues d'eau resteront pures[b]); quiconque touche à l'un de leurs cadavres sera impur. [37] Si l'un de leurs cadavres tombe sur une semence quelconque, elle restera pure, [38] mais si la graine a été humectée d'eau et si un de leurs cadavres tombe dessus, vous la tiendrez pour impure[c].

[39] Si vient à périr un des animaux qui vous servent de nourriture, celui qui en touchera le cadavre sera impur jus-

---

*a*) Beaucoup de ces espèces ne sont pas encore identifiées. C'est probablement leur analogie apparente avec les serpents qui les a fait considérer comme impures.

*b*) Les eaux sont par elles-mêmes vivifiantes et purifiantes.

*c*) Soit que l'eau pénétrant la graine introduise l'impureté (mais en pareille matière le contact suffit pour contaminer), soit plus probablement que l'auteur distingue la graine-semence, principe de vie et de germination, et la graine destinée à être mangée.

qu'au soir, [40] celui qui mangera de sa chair morte devra nettoyer[a] ses vêtements et sera impur jusqu'au soir, celui qui transportera son cadavre devra nettoyer ses vêtements et sera impur jusqu'au soir.

**Considérations doctrinales[b].**

[41] Toute bestiole qui rampe sur terre est immonde, on n'en mangera pas. [42] Tout ce qui se traîne sur le ventre, tout ce qui marche sur quatre pattes ou plus, bref toutes les bestioles qui rampent sur terre, vous n'en mangerez pas car elles sont immondes. [43] Ne vous rendez pas vous-mêmes immondes avec toutes ces bestioles rampantes, ne vous contaminez pas avec elles et ne soyez pas contaminés par elles. [44] Car c'est moi, Yahvé, qui suis votre Dieu. Vous vous êtes sanctifiés et vous êtes devenus saints car je suis saint; ne vous rendez donc pas impurs avec toutes ces bestioles qui rampent sur terre. [45] Oui, c'est moi Yahvé qui vous ai fait monter du pays d'Égypte pour être votre Dieu : vous serez donc saints parce que je suis saint.

**Conclusion[c].**

[46] Telle est la loi concernant les animaux, les oiseaux, tout être vivant qui se meut dans l'eau et tout être qui rampe sur terre. [47] Elle a pour but de séparer le pur et l'impur, les bêtes que l'on peut manger et celles que l'on ne doit pas manger.

---

a) G ajoute « et laver dans l'eau ».

b) Après cette insertion des règles relatives au contact, l'auteur donne les raisons qui d'après lui les fondent; il en fait la théologie. D'une part il souligne l'analogie entre ces bestioles et le serpent maudit, auquel tant de cultes naturistes faisaient l'hommage des produits de cette terre où il paraît habiter. D'autre part, il montre que la transcendance spirituelle du Dieu de l'alliance exige de ses fidèles une conduite particulière. Ces vv. rattachent la législation de pureté à celle de sainteté (ch. **17** et s).

c) Conclusion semblable à celle qui clôt la loi des sacrifices (**7** 37).

**12.** [1] Yahvé parla à Moïse
et dit : [2] Parle ainsi aux
enfants d'Israël.

**Purification
de la femme accouchée** [a].

Si une femme est enceinte
et enfante un garçon, elle sera impure pendant sept jours
comme elle est impure au temps de ses règles. [3] Au huitième jour [b] on circoncira [c] le prépuce de l'enfant [4] et pendant trente-trois jours encore elle restera à purifier son
sang [d]. Elle ne touchera à rien de consacré et n'ira pas au
sanctuaire jusqu'à ce que soit achevé le temps de sa purification.

[5] Si elle enfante une fille, elle sera impure pendant deux
semaines, comme pendant ses règles, et restera de plus
soixante-dix jours à purifier son sang [e].

[6] Quand sera achevée la période de sa purification, que
ce soit pour un garçon ou pour une fille, elle apportera au
prêtre, à l'entrée de la Tente de Réunion, un agneau d'un

---

*a)* Cette courte section introduit l'étude des cas temporaires d'impureté
par le principal d'entre eux : la naissance (le contexte le plus naturel de
ces vv. eût été sans cela Lv **15** 25-30). Nombre d'autres peuples primitifs considèrent également l'accouchement comme une cause d'impureté :
de même que les règles ou l'épanchement séminal masculin, il apparaît
comme une perte de vitalité pour l'individu, qui doit par certains rites
rétablir son intégrité et ainsi son union avec son Dieu, Dieu vivant et
source de vie par excellence.

*b)* Cf. Gn **17** 12.

*c)* Sur les origines de la circoncision, cf. Ex **4** 25 s; Jos **5** 2-8; sur son
importance chez les Juifs : 1 M **1** 63; 2 M **6** 10; et dans le N. T. Lc **1** 59
(Jean Baptiste); **2** 21 (Jésus).

*d)* Litt. « elle restera dans le sang de sa purification ». Sur la Purification
de la Vierge Marie (Fête de la Présentation de notre Seigneur au Temple,
2 février), cf. Lc **2** 22-38 où nous voyons appliquer cette loi.

*e)* La naissance d'une fille, moins faste pour le groupe humain que
celle d'un garçon, demande plus de temps pour être réparée. Le mâle a
plus de force, donc plus de vie; il est considéré comme une plus grande
bénédiction divine. Ajoutons que les anciens médecins et Hippocrate
estimaient que le rétablissement de la mère était plus long après la naissance
d'une fille; mais c'était peut-être une interprétation médicale de semblables
règles traditionnelles.

an pour un holocauste et un pigeon ou une tourterelle en sacrifice pour le péché[a]. ⁷ Le prêtre l'offrira devant Yahvé, accomplira sur elle le rite d'expiation et elle sera purifiée de son flux de sang.

Telle est la loi concernant la femme qui enfante un garçon ou une fille. ⁸ Si elle est incapable de trouver la somme nécessaire pour une tête de petit bétail, elle prendra deux tourterelles ou deux pigeons[b], l'un pour l'holocauste et l'autre en sacrifice pour le péché. Le prêtre fera sur elle le rite d'expiation et elle sera purifiée.

**13.** ¹ Yahvé parla à Moïse et à Aaron, et dit :

**La lèpre[c] humaine :**
**A. Tumeur,**
**dartre et tache.**

² S'il se forme sur la peau d'un homme une tumeur, une dartre ou une tache luisante, un cas de lèpre de la peau est à prévoir. On le conduira à Aaron, le prêtre, ou à l'un des prêtres ses fils. ³ Le prêtre examinera le mal sur la peau. Si à l'endroit malade le poil a viré au blanc, si ce mal fait creux dans l'épiderme, c'est bien un cas de lèpre; après observation le prêtre déclarera l'homme impur. ⁴ Mais si sur la peau il y a une tache luisante blanche, sans dépression visible de la peau et sans blanchissement du poil[d], le prêtre séquestrera le malade

---

*a*) Involontaire (cf. ch. 4-5).

*b*) Cf. 5 7-13.

*c*) La notion de « lèpre » est plus large chez les Hébreux que chez nous. Vêtements et maisons peuvent en être atteints. Dans le cas de l'homme il s'agit d'affections cutanées (ou superficielles) dont le caractère contagieux pouvait jeter le trouble dans la communauté (cf. Nb 12 10-15). Naturellement le diagnostic pouvait donner lieu à contestations et c'était un des cas normaux où le prêtre avait à délivrer une *tôrâh,* une décision, par laquelle le représentant de la divinité assurait la bonne vie des fidèles (voir Dt 24 8-9). Une certaine tradition empirique se forma dans les sanctuaires, surtout à Jérusalem. C'est elle que systématisent nos ch. 13 et 14. L'affection la plus redoutée paraît être l'actuelle lèpre anesthésique accompagnée d'éruptions rouges.

*d*) G ajoute « c'est une dartre ».

pendant sept jours. ⁵ Il l'examinera le septième jour. S'il constate de ses propres yeux que le mal subsiste sans se développer sur la peau, il le séquestrera encore durant sept jours ⁶ et l'examinera à nouveau le septième jour. S'il constate que le mal a perdu sa luisance et ne s'est pas développé sur la peau le prêtre déclarera pur cet homme : il s'agit d'une dartre. Après avoir nettoyé ses vêtements il sera pur.

⁷ Mais si la dartre s'est développée sur la peau après que le malade a été examiné par le prêtre et déclaré pur, il se présentera à lui de nouveau. ⁸ Après l'avoir examiné et après avoir constaté le développement de la dartre sur la peau, le prêtre le déclarera impur : il s'agit de lèpre.

**B. Lèpre invétérée**[a].  ⁹ Lorsqu'apparaîtra sur un homme un mal du genre lèpre, on le conduira au prêtre. ¹⁰ Le prêtre l'examinera, et s'il constate sur la peau une tumeur blanchâtre avec blanchissement du poil et production d'un ulcère, ¹¹ c'est une lèpre invétérée sur la peau. Le prêtre le déclarera impur. Il ne le séquestrera pas[b], sans aucun doute il est impur[c].

¹² Mais si la lèpre prolifère sur la peau, si la maladie la recouvre tout entière et s'étend de la tête aux pieds, où que regarde le prêtre, ¹³ celui-ci examinera le malade et, constatant que la lèpre recouvre tout son corps, il déclarera pur le malade[d]. Puisque tout a viré au blanc, il est pur.

---

a) Il ne s'agit plus dans ce nouveau cas de distinguer une vraie d'une fausse lèpre, mais une lèpre contagieuse d'une lèpre qui ne l'est pas. Le Lévitique semble ne considérer comme contagieux que l'ulcère. Cet effort d'observation concrète est intéressant à noter.

b) G porte au contraire « il le séquestrera ».

c) Une seconde observation n'est pas nécessaire.

d) Litt. « le mal ». Cette généralisation du mal est signe de guérison : toutes ces croûtes blanches vont tomber.

¹⁴ Toutefois, le jour où apparaîtra sur lui un ulcère, il sera impur[a]. ¹⁵ Après examen de l'ulcère, le prêtre le déclarera impur : l'ulcère est chose impure, c'est de la lèpre. ¹⁶ Mais si l'ulcère redevient blanc, l'homme ira trouver le prêtre, ¹⁷ celui-ci l'examinera et, s'il constate que le mal a viré au blanc, il déclarera pur le malade : il est pur.

**C. Furoncle.**

¹⁸ Lorsqu'il s'est produit sur la peau de quelqu'un un furoncle[b] qui a guéri, ¹⁹ s'il se forme à la place du furoncle une tumeur blanchâtre ou une tache luisante d'un blanc rougeâtre, cet homme se montrera au prêtre. ²⁰ Celui-ci l'examinera; s'il constate un affaissement visible de la peau et un blanchissement du poil, le prêtre le déclarera impur : c'est un cas de lèpre qui prolifère dans un furoncle. ²¹ Si, à l'examen, le prêtre ne constate ni poils blancs, ni affaissement de la peau, mais un ternissement du mal, il séquestrera sept jours le malade. ²² Il le déclarera impur si le mal s'est réellement développé sur la peau : c'est un cas de lèpre. ²³ Mais si la tache luisante est restée stationnaire sans s'étendre, c'est la cicatrice du furoncle : le prêtre déclarera cet homme pur.

**D. Brûlure.**

²⁴ Lorsqu'il s'est produit sur la peau de quelqu'un une brûlure, s'il se forme sur la brûlure un ulcère, une tache luisante blanc-rougeâtre ou blanchâtre, ²⁵ le prêtre l'examinera. S'il constate un blanchissement du poil ou un affaissement visible de la tache dans la peau[c], c'est la lèpre qui prolifère dans la brûlure.

---

a) C'est une reprise de la maladie.
b) Autres traductions : « ulcère » ou « abcès ».
c) Quelles que soient les affections cutanées, c'est au critère du poil et de la dépression de la peau que l'on s'attachait pour déterminer l'existence ou non d'une lèpre socialement dangereuse. Ce critère n'est naturellement

Le prêtre déclarera l'homme impur : c'est un cas de lèpre.
[26] Si au contraire le prêtre, à l'examen, ne constate point
de poils blancs dans la tache ni d'affaissement de la peau
mais un ternissement de cette tache, le prêtre le séquestrera
sept jours. [27] Il l'examinera le septième jour[a] et, si le mal
s'est étendu sur la peau, il le déclarera impur : c'est un cas
de lèpre. [28] Si la tache est restée stationnaire sans s'étendre
sur la peau, si elle s'est au contraire ternie, ce n'est qu'une
tumeur due à la brûlure. Le prêtre déclarera l'homme pur,
ce n'est que la cicatrice de la brûlure.

**E. Affections
du cuir chevelu[b].**

[29] Si un homme ou une
femme porte une plaie à la
tête ou au menton, [30] le
prêtre examinera cette plaie
et, s'il y constate une dépression visible de la peau avec
poil jaunâtre et grêle, il déclarera le malade impur. C'est
la teigne[c], c'est-à-dire la lèpre de la tête ou du menton. [31] Si
à l'examen de ce cas de teigne le prêtre constate qu'il n'y a
point dépression visible de la peau ni poil jaunâtre, il
séquestrera sept jours le teigneux. [32] Il examinera le mal
le septième jour et, s'il constate que la teigne ne s'est pas
développée, que le poil n'y est point jaunâtre, qu'il n'y a

---

**13** 31. « *jaunâtre* » ṣâhob *conj. cf. v.* 32; « *noir* » šâḥor *H.*

---

pas le dernier mot de la science médicale, mais on peut saisir par là les
perspectives concrètes et pratiques de cette législation religieuse.

*a)* On notera la prudence dans les conclusions du diagnostic, toujours
sujet à révision.

*b)* Au sens large, menton compris. Ce n'est plus un cas de lèpre, mais
cette affection est traitée par les mêmes méthodes et dans le même esprit.
Le prêtre d'ailleurs n'est pas médecin. Il se borne à observer, à déclarer,
et à régler ce qui est danger dans le peuple de Dieu; il n'a pas à soigner
le malade.

*c)* Selon d'autres auteurs il ne s'agit pas à proprement parler de teigne,
mais de sycose ou dartre du cuir chevelu (le mot hébreu est *nètèq*).

point de dépression visible de la peau, [33] le malade se rasera, en omettant toutefois la partie teigneuse, et le prêtre le séquestrera une seconde fois pendant sept jours. [34] Il examinera le mal le septième jour, et, s'il constate qu'il ne s'est pas développé sur la peau, qu'il n'y a pas dépression visible de la peau, le prêtre déclarera pur ce malade. Après avoir nettoyé ses vêtements il sera pur. [35] Si toutefois après cette purification la teigne s'est réellement développée sur la peau, [36] le prêtre l'examinera : s'il constate un développement de la teigne sur la peau, c'est que le malade est impur et l'on ne vérifiera pas si le poil est jaunâtre. [37] Tandis que si la teigne apparaît stationnaire et s'il y pousse du poil noir, c'est que le malade est guéri. Il est pur et le prêtre le déclarera pur.

**F. Exanthème.**

[38] S'il se produit des taches luisantes sur la peau d'un homme ou d'une femme et si ces taches sont blanches, [39] le prêtre les examinera. S'il constate que ces taches sur la peau sont d'un blanc terne, il s'agit d'un exanthème qui a proliféré sur la peau : le malade est pur[a].

**G. Calvities.**

[40] Si un homme perd les cheveux de son crâne, c'est la calvitie du crâne, il est pur[b]. [41] Si c'est sur le devant de la tête qu'il perd ses cheveux, c'est une calvitie du front, il est pur. [42] Mais s'il y a au crâne ou au front un mal blanc-rougeâtre, c'est qu'une lèpre prolifère sur le crâne ou le front de cet homme. [43] Le

---

a) Cet exanthème, sorte de vitiligo, n'est pas contagieux.
b) La chute du poil pouvait faire craindre une maladie contagieuse de la peau. L'aventure d'Élisée en 2 R **2** 23 indique toutefois que la calvitie n'était pas redoutée des populations puisque les enfants invitent ironiquement le prophète à continuer sa marche vers Béthel, au lieu de lui crier de s'éloigner.

prêtre l'examinera et, s'il constate au crâne ou au front une
tumeur blanc-rougeâtre[a], de même aspect que la lèpre de
la peau, [44] c'est que l'homme est lépreux; il est impur. Le
prêtre devra le déclarer impur, il est atteint de lèpre à la
tête.

**Statut du lépreux.** [45] Le lépreux atteint de ce
mal portera ses vêtements
déchirés et ses cheveux dé-
noués[b]; il se couvrira la moustache et il criera : « Impur !
Impur ! » [46] Tant que durera son mal, il sera impur et,
étant impur, il demeurera à part : sa demeure sera hors
du camp.

**La lèpre des vêtements.** [47] Lorsqu'un vêtement est
atteint de lèpre[c], que ce soit
un vêtement de laine ou de
lin, [48] un tissu ou une couverture[d] en laine ou en lin, du
cuir ou un travail quelconque en cuir, [49] c'est un cas de
lèpre à montrer au prêtre si la tache de ce vêtement, de ce
cuir, de ce tissu, de cette couverture ou de cet objet de
cuir apparaît verdâtre ou rougeâtre. [50] Le prêtre examinera
le mal et séquestrera l'objet pendant sept jours. [51] S'il

---

a) Sur cet indice, cf. v. 24.

b) Le législateur précise les mesures à prendre pour éviter la contagion.
Vêtements lacérés, cheveux dénoués et probablement la couverture des
lèvres (cf. Ez **24** 17) sont des signes de deuil. Peut-être dans ce dernier cas
faut-il voir une mesure de protection contre l'haleine du lépreux. Celui-ci
de plus doit alerter les passants et habiter à part.

c) En français on parle de la « teigne des vêtements »; c'est une autre
image. Le législateur appelle lèpre certaines moisissures ou proliférations
d'insectes sur les tissus et vêtements qui évoquaient extérieurement la
lèpre. La population pouvait s'en émouvoir, d'autant qu'on avait pu observer des cas de contagion réelle par les vêtements. Le législateur a tenté
une systématisation en fonction des observations encore peu développées
de son temps. Il ne donne d'ailleurs pas de formules définitives.

d) « Tissu », « couverture » : ces termes sont empruntés, semble-t-il,
à l'Égypte (*st'* ; *'rf*), le grand producteur de tissus dans le monde d'alors
(cf. Is **19** 9). Autres traductions : « fil de chaîne et fil de trame », « tissu et
tricot ».

observe au septième jour que le mal s'est étendu sur ce vêtement, ce tissu, cette couverture, ce cuir ou cet objet fait en cuir, quel qu'il soit, c'est un cas de lèpre contagieuse[a] : l'objet atteint est impur. [52] Il[b] brûlera ce vêtement, ce tissu, cette couverture de laine ou de lin, cet objet de cuir quel qu'il soit, sur lequel s'est déclaré le mal, car c'est une lèpre contagieuse qui doit être consumée par le feu.

[53] Mais si, à l'examen, le prêtre constate que le mal ne s'est pas étendu sur ce vêtement, ce tissu, cette couverture, ou sur cet objet de cuir quel qu'il soit, [54] il ordonnera de nettoyer l'objet attaqué et le séquestrera une seconde fois pendant sept jours. [55] Après nettoiement il examinera le mal et, s'il constate qu'il n'a pas changé d'aspect, tout en ne s'étendant pas, l'objet est impur. Tu le consumeras par le feu : il y a corrosion à l'endroit et à l'envers[c].

[56] Mais si, à l'examen, le prêtre constate qu'après nettoiement le mal a terni, il l'arrachera du vêtement, du cuir, du tissu ou de la couverture. [57] Toutefois, si le mal reparaît sur ce vêtement, ce tissu, cette couverture ou cet objet de cuir quel qu'il soit, c'est que le mal est actif et tu consumeras par le feu ce qui en est atteint. [58] Quant au vêtement, au tissu, à la couverture et à l'objet quelconque en cuir dont le mal aura disparu après nettoiement, il sera pur après avoir été nettoyé une seconde fois.

[59] Telle est la loi pour le cas de lèpre d'un vêtement en laine ou en lin, d'un tissu, d'une couverture ou d'un objet en cuir quel qu'il soit, lorsqu'il s'agit de les déclarer purs ou impurs.

---

a) « Contagieuse » : sur ce mot difficile, cf. Ez **28** 24 et l'assyrien *marû*.

b) Le prêtre ou le propriétaire (cf. v. 55).

c) Litt. « à l'occiput et au front ». Le sens est discuté. Au lieu de « il y a corrosion... à l'envers » G porte « il est attaché au vêtement, au tissu ou à la couverture ». Mais le texte hébreu paraît préférable et explique pourquoi le législateur a inséré cette section après le cas de calvitie.

**14.**  [1] Yahvé parla à Moïse

**Purification du lépreux.** et dit :

    [2] Voici la loi à appliquer au lépreux le jour de sa purification[a]. On le conduira au prêtre, [3] et le prêtre sortira du camp. S'il constate, après examen, que le lépreux est guéri de sa lèpre, [4] il ordonnera de prendre pour l'homme à purifier deux oiseaux vivants et purs, du bois de cèdre, du rouge de cochenille et de l'hysope[b]. [5] Il ordonnera ensuite d'immoler un oiseau sur un pot d'argile au-dessus d'une eau courante. [6] Quant à l'oiseau encore vivant, il le prendra ainsi que le bois de cèdre, le rouge de cochenille, l'hysope, et il plongera le tout (y compris l'oiseau vivant) dans le sang de l'oiseau immolé au-dessus de l'eau courante. [7] Il fera alors sept aspersions[c] sur l'homme à purifier de la lèpre et, l'ayant déclaré pur, il lâchera l'oiseau vivant dans la campagne. [8] Celui qui se purifie nettoiera ses vêtements, il se rasera tous les poils[d], il se lavera à l'eau et sera pur. Après quoi il rentrera au camp, mais il restera sept jours hors de sa tente[e]. [9] Le septième jour il se rasera tous les poils : che-

---

*a*) Loi encore appliquée à l'époque du Christ, cf. Mt **8** 4 p ; Lc **17** 14.

*b*) Cette première partie du rituel est très archaïque, elle utilise de primitifs symboles. La religion populaire des Sémites voyait volontiers la cause de la maladie dans la présence de méchants démons ailés. Les oiseaux tiendront leur place ; on en immolera un et l'on fera s'envoler l'autre. L'eau courante emporte le mal. Le fruit du cèdre (voir les reliefs assyriens du musée du Louvre) et la branche d'hysope (Ex **12** 22 ; Nb **19** 6 ; etc.) servaient aux aspersions rituelles. Le rouge, couleur de sang, était censé faire peur à ces démons.

*c*) L'aspersion purificatrice se retrouve en Nb **19** 18. Le Psaume *Miserere*, **51** 9, en dévoile tout le sens spirituel.

*d*) Cf. Nb **6** 9. Le poil retient l'impureté comme il retient la saleté.

*e*) C'est probablement la tente qu'il possédait dans le camp avant que la maladie ne l'ait contraint à habiter à l'extérieur. Il se peut cependant que l'on ait ici un texte archaïque inséré par l'auteur inspiré sans qu'il l'ait refondu pour l'adapter au ch. précédent (v. 47). Ceci expliquerait la rédaction compliquée des vv. 8-9 : l'homme en effet est-il pur dès le premier lavage ou faut-il attendre le second ?

veux, barbe, sourcils; il devra raser tous les poils. Après avoir nettoyé ses vêtements et s'être lavé à l'eau, il sera pur.

[10] Le huitième jour[a] il prendra deux agneaux sans défaut, une agnelle d'un an sans défaut, trois dixièmes[b] de fleur de farine pétrie à l'huile, pour l'oblation, et une pinte[c] d'huile. [11] Le prêtre qui accomplit la purification placera l'homme à purifier, ainsi que ses offrandes, à l'entrée de la Tente de Réunion, devant Yahvé. [12] Puis il prendra l'un des agneaux. Il l'offrira en sacrifice de réparation ainsi que la pinte d'huile. Il fera avec eux le geste de présentation devant Yahvé. [13] Il immolera[d] l'agneau à l'endroit du lieu saint où l'on immole les victimes du sacrifice pour le péché et de l'holocauste. Cette victime de réparation reviendra au prêtre comme un sacrifice pour le péché, c'est une chose très sainte[e]. [14] Le prêtre prendra du sang de ce sacrifice. Il le mettra sur le lobe de l'oreille droite de celui qui se purifie, sur le pouce de sa main droite et sur le gros orteil de son pied droit[f]. [15] Il prendra ensuite la pinte d'huile et en versera un peu dans le creux de sa main gauche. [16] Il trempera un doigt de sa main droite dans l'huile qui est au creux de sa main gauche et de cette huile il fera avec son doigt sept aspersions devant Yahvé. [17] Puis il mettra un peu de l'huile qui lui reste dans le creux de la main sur

---

*a*) A ce rituel archaïque qu'il a voulu respecter, le législateur inspiré en a joint un autre plus en rapport avec l'ensemble du Lévitique.

*b*) Trois dixièmes d'*épha,* c'est-à-dire de 10 à 12 litres.

*c*) Un *log* : à peu près un demi-litre.

*d*) Sam et G ont le verbe au pluriel.

*e*) Sam ajoute « car tel le sacrifice pour le péché, tel le sacrifice de réparation ».

*f*) Il y avait un rite semblable pour l'investiture des fils d'Aaron (**8** 23). Ce rite réintègre le lépreux dans la communauté sainte d'Israël. Peut-être y a-t-il là un symbolisme antique qui se rattacherait à l'idée de service. C'est par l'oreille qu'on entend, par la main et le pied qu'on exécute. Un rite du même genre, mais plus brutal, se rencontre en Ex **21** 6. Quant à l'usage du sang, il dérive du rite d'alliance et de son symbolisme : deux contractants sont censés être alliés par le sang (cf. Ex **24** 8).

le lobe de l'oreille droite de celui qui se purifie, sur le pouce de sa main droite et sur le gros orteil de son pied droit, en plus du sang[a] du sacrifice de réparation. [18] Le reste d'huile qu'il a dans le creux de la main, il le mettra sur la tête de celui qui se purifie. Il aura fait ainsi sur lui le rite d'expiation devant Yahvé.

[19] Le prêtre fera alors le sacrifice pour le péché et accomplira sur celui qui se purifie le rite d'expiation de son impureté. Après quoi il immolera l'holocauste, [20] il fera monter à l'autel holocauste et oblation. Quand le prêtre aura ainsi accompli sur cet homme le rite d'expiation, il sera pur.

[21] S'il est pauvre et dépourvu des ressources suffisantes[b], il prendra un seul agneau, celui du sacrifice de réparation, et on l'offrira selon le geste de présentation pour accomplir sur cet homme le rite d'expiation. Il ne prendra aussi qu'un dixième de fleur de farine pétrie à l'huile, pour l'oblation, et la pinte d'huile, [22] enfin deux tourterelles ou deux pigeons, — s'il est en mesure de se les procurer[c], — dont l'un sera destiné au sacrifice pour le péché et l'autre à l'holocauste. [23] C'est le huitième jour qu'en vue de sa purification il les apportera au prêtre, à l'entrée de la Tente de Réunion, devant Yahvé. [24] Le prêtre prendra l'agneau du sacrifice de réparation et la pinte d'huile. Il les offrira en geste de présentation devant Yahvé. [25] Puis, ayant immolé cet agneau du sacrifice de réparation, il en prendra du sang et le mettra sur le lobe de l'oreille droite de celui qui se purifie, sur le pouce de sa main droite et sur le gros orteil de son pied droit. [26] Il versera de l'huile dans le creux

---

a) G et Syr : « sur l'endroit du sang ».

b) Sur ces mesures en faveur des pauvres, cf. **5** 7 s; **12** 8.

c) Autre traduction : « ce qui ne dépasse pas ses possibilités », mais voir les vv. 30-31 (et Nb **6** 21) où ces mots troublent la phrase et paraissent être une addition.

de sa main gauche [27] et, de cette huile qui est dans le creux
de sa main gauche, il fera avec son doigt sept aspersions
devant Yahvé. [28] Il en mettra sur le lobe de l'oreille droite
de celui qui se purifie, sur le pouce de sa main droite, sur
le gros orteil de son pied droit, à l'endroit où a été posé
le sang du sacrifice de réparation. [29] Ce qui lui reste d'huile
dans le creux de la main, il le mettra sur la tête de celui qui
se purifie en faisant sur lui le rite d'expiation devant
Yahvé. [30] De l'un des deux pigeons ou de l'une des deux
tourterelles, — de ce qu'il[a] est en mesure de se procurer, —
il fera [31] un sacrifice pour le péché et, de l'autre, un holocauste accompagné d'oblation, — avec ce qu'il aura été
en mesure de se procurer. Le prêtre aura fait ainsi le rite
d'expiation devant Yahvé sur celui qui se purifie.

[32] Telle est la loi concernant celui qui est atteint de
lèpre sans être à même de pourvoir à sa purification.

[33] Yahvé parla à Moïse et

**La lèpre des maisons.**     à Aaron et dit :

[34] Lorsque vous serez arri-
vés au pays de Canaan que je vous donne pour domaine,
si je frappe de la lèpre une maison du pays que vous
posséderez, [35] son propriétaire viendra avertir le prêtre
et dira : « J'ai vu comme de la lèpre dans la maison. »
[36] Le prêtre ordonnera de vider la maison avant qu'il ne
vienne examiner le mal; ainsi rien ne deviendra impur de
ce qui s'y trouve. Après quoi le prêtre viendra observer la
maison, [37] et si, après examen, il constate sur les murs de
la maison des cavités verdâtres ou rougeâtres[b] qui font

---

a) Ce « il » ne désigne plus le prêtre mais l'offrant. De ces deux insertions l'une, trop gênante, a été supprimée par G et Syr. Ces insertions
avaient pour but de rendre facultatifs ces deux sacrifices ou l'un d'entre eux.

b) On notera dans le diagnostic l'analogie entre la « lèpre » des vêtements (**13** 47) et cette « lèpre » des maisons. S'agit-il du salpêtre des murs ?
On pense plutôt à des colorations provenant de lichens (ce mot d'ailleurs

creux dans le mur, [38] le prêtre sortira de la maison, sur la
porte, et il la fera fermer sept jours. [39] Il reviendra le
septième jour et si, après examen, il constate que le mal
s'est développé[a] sur les murs de la maison, [40] il ordonnera
que l'on retire les pierres attaquées par le mal et qu'on les
jette hors de la ville en un lieu impur. [41] Puis il fera gratter
toutes les parois intérieures de la maison et l'on répandra
le crépi ainsi détaché dans un lieu impur à l'extérieur de la
ville. [42] On prendra d'autres pierres pour remplacer les premières et un autre enduit pour recrépir la maison.

[43] Si le mal prolifère à nouveau après l'enlèvement des
pierres, le décapage et le crépissage de la maison, [44] le
prêtre viendra l'examiner; s'il constate que le mal s'est
développé, c'est une lèpre contagieuse dans la maison;
celle-ci est impure. [45] On la démolira, on portera dans un
lieu impur, hors de la ville, ses pierres, ses charpentes et
tout son crépi.

[46][b] Quiconque entrera dans la maison, pendant tout le
temps qu'on la tient fermée, sera impur jusqu'au soir.
[47] Quiconque y couchera devra nettoyer ses vêtements. Quiconque y mangera devra nettoyer ses vêtements[c]. [48] Mais
si le prêtre, lorsqu'il vient examiner le mal, constate qu'il
ne s'est pas développé dans la maison après le crépissage,
il déclarera pure la maison, car le mal est guéri.

[49] En vue d'un sacrifice pour le péché[d] de la maison, il

---

vient du grec et il signifie « dartre » dans cette langue) qui prolifèrent sur
des pierres humides. Une mentalité non cultivée pouvait être facilement
émue par ces analogies et il était prudent de prévoir une procédure qui
calmerait l'inquiétude de ces villageois. Ici toutefois le législateur inspiré
s'est contenté du vieux rituel de purification de la lèpre (cf. **14** 2-10) auquel
tenaient les usages populaires, sans rien ajouter de spécifiquement yahviste.

*a*) G[AB] porte « ne s'est pas développé ».

*b*) Ces vv. se rattachent au v. 38.

*c*) G ajoute « et sera impur jusqu'au soir ».

*d*) Cette loi du Lévitique interprète le vieux rituel comme un sacrifice
pour le péché. L'auteur considère ici le péché comme une atteinte non

prendra deux oiseaux, du bois de cèdre, du rouge de cochenille et de l'hysope. ⁵⁰ Il immolera un des oiseaux sur un pot d'argile au-dessus d'une eau courante. ⁵¹ Puis il prendra le bois de cèdre, l'hysope, le rouge de cochenille et l'oiseau encore vivant, pour les plonger dans le sang de l'oiseau immolé et dans l'eau courante. Il fera sept aspersions sur la maison ⁵² et, après avoir fait le sacrifice pour le péché de la maison par le sang de l'oiseau, l'eau courante, l'oiseau vivant, le bois de cèdre, l'hysope et le rouge de cochenille, ⁵³ il lâchera l'oiseau vivant hors de la ville, dans la campagne. Le rite d'expiation ainsi fait sur la maison, elle sera pure.

⁵⁴ Telle est la loi concernant tous cas de lèpre et de teigne, ⁵⁵ la lèpre des vêtements et des maisons, ⁵⁶ les tumeurs, dartres et taches luisantes. Elle fixe les temps d'impureté et de pureté.

⁵⁷ Telle est la loi sur la lèpre.

**Les impuretés sexuelles :
A. de l'homme.**

**15.** ¹ Yahvé parla à Moïse et à Aaron, et dit : ² Parlez aux enfants d'Israël, dites-leur :

Lorsqu'un homme a un écoulement sortant de son corps[a], cet écoulement est impur. ³ Voici en quoi consistera son impureté tant qu'il a cet écoulement :

---

au caractère moral du Dieu d'Israël, mais à la vertu vivifiante de ce Dieu. Ici encore notons l'effort pour faire assimiler par le yahvisme un vieux rituel qui avait son symbolisme attachant mais qui, par lui-même, trahissait une connaissance de Dieu inférieure.

a) Le point de départ de cette législation paraît être la maladie essentiellement contagieuse qu'est la blennorragie. Naturellement son diagnostic et ses effets n'étaient pas précisés comme ils le sont de nos jours et le simple épanchement séminal sera visé au v. 16. De plus tout ce qui touche à la fécondité et à la reproduction a un caractère mystérieux et sacré, d'où les multiples précautions du législateur. Cf. **12** 1 et la note.

Que sa chair laisse échapper l'écoulement ou qu'elle le retienne, il est impur[a].

⁴ Tout lit où couchera cet homme sera impur et tout meuble où il s'assiéra sera impur[b].

⁵ Celui qui touchera son lit devra nettoyer ses vêtements, se laver à l'eau, et il sera impur jusqu'au soir.

⁶ Celui qui s'assiéra sur un meuble où cet homme se sera assis devra nettoyer ses vêtements, se laver à l'eau, et il sera impur jusqu'au soir.

⁷ Celui qui touchera le corps de l'homme atteint d'écoulement devra nettoyer ses vêtements, se laver à l'eau, et il sera impur jusqu'au soir.

⁸ Si le malade crache sur une personne pure, celle-ci devra nettoyer ses vêtements, se laver à l'eau, et elle sera impure jusqu'au soir.

⁹ Tout siège[c] sur lequel aura voyagé le malade sera impur[d].

¹⁰ Tous ceux qui toucheront à un objet quelconque qui se sera trouvé sous lui seront impurs jusqu'au soir.

Celui qui transportera un tel objet devra nettoyer ses vêtements, se laver à l'eau, et il sera impur jusqu'au soir.

¹¹ Tous ceux que touchera le malade sans s'être rincé les mains devront nettoyer leurs vêtements, se laver à l'eau, et ils seront impurs jusqu'au soir.

¹² Le vase d'argile que touchera le malade sera brisé et tout ustensile en bois devra être rincé.

---

a) Il faut sans doute comprendre : que l'écoulement se fasse spontanément ou avec difficulté. Ce serait peut-être une allusion à la blennorragie cordée. — Sam et G : « Il est impur tous les jours pendant lesquels sa chair laisse échapper l'écoulement ou le retient. »

b) Beaucoup de ces règles sont inspirées par l'analogie avec d'autres cas d'impureté.

c) Selle de cheval ou d'âne, siège de char ou de litière.

d) G ajoute « jusqu'au soir ».

¹³ Quand cet homme atteint d'écoulement en sera guéri, il comptera sept jours pour sa purification. Il devra nettoyer ses vêtements, laver son corps à l'eau courante*a*, et il sera pur. ¹⁴ Le huitième jour il prendra deux tourterelles ou deux pigeons et viendra devant Yahvé à l'entrée de la Tente de Réunion pour les remettre au prêtre. ¹⁵ De l'un celui-ci fera un sacrifice pour le péché et de l'autre un holocauste. Le prêtre fera ainsi sur lui devant Yahvé le rite d'expiation de son écoulement.

¹⁶ Lorsqu'un homme aura un épanchement séminal*b*, il devra se laver à l'eau tout le corps et il sera impur jusqu'au soir. ¹⁷ Tout vêtement et tout cuir qu'aura atteint l'épanchement séminal devra être nettoyé à l'eau et sera impur jusqu'au soir.

¹⁸ Quand une femme aura couché maritalement avec un homme, ils devront tous deux se laver à l'eau, et ils seront impurs jusqu'au soir*c*.

**B. de la femme.** ¹⁹ Lorsqu'une femme a un écoulement de sang et que du sang s'écoule de son corps, elle restera pendant sept jours dans l'impureté de ses règles.

Qui la touchera sera impur jusqu'au soir.

²⁰ Toute couche sur laquelle elle s'étendra en cet état sera impure; tout meuble sur lequel elle s'assiéra sera impur.

---

*a*) Gᴬᴮ omet « courante ».

*b*) Il s'agit dans ce cas d'un épanchement accidentel, volontaire ou non. Un élément de vitalité s'est échappé de l'homme, un rite est nécessaire pour lui rendre son intégrité vitale, sa parfaite union avec la divinité, principe de vie, et avec le peuple de cette divinité.

*c*) Ce v. fait transition entre les deux paragraphes. — Le législateur semble y voir un cas de l'impureté par contact (voir la situation inverse au v. 24); d'autres peuples admettent également ce cas d'impureté.

²¹ Quiconque touchera son lit devra nettoyer ses vêtements, se laver à l'eau, et il sera impur jusqu'au soir.

²² Quiconque touchera un meuble, quel qu'il soit, où
elle se sera assise, devra nettoyer ses vêtements, se laver
à l'eau, et il sera impur jusqu'au soir.

²³ Si quelque objet se trouve sur le lit ou sur le meuble
sur lequel elle s'est assise, celui qui le touchera sera impur
jusqu'au soir.

²⁴ Si un homme couche avec elle, l'impureté de ses
règles l'atteindra. Il sera impur pendant sept jours. Tout
lit sur lequel il couchera sera impur.

²⁵ Lorsqu'une femme aura un écoulement de sang de
plusieurs jours hors du temps de ses règles ou si ses règles
se prolongent, elle sera pendant toute la durée de cet
écoulement dans le même état d'impureté que pendant le
temps de ses règles. ²⁶ Il en sera de tout lit sur lequel elle
couchera pendant toute la durée de son écoulement
comme du lit où elle couche lors de ses règles. Tout meuble
sur lequel elle s'assiéra sera impur lors de ses règles.
²⁷ Quiconque les touchera sera impur, devra nettoyer ses
vêtements, se laver à l'eau, et il sera impur jusqu'au soir.

²⁸ Lorsqu'elle sera guérie de son écoulement, elle
comptera sept jours puis elle sera pure. ²⁹ Le huitième jour
elle prendra deux tourterelles ou deux pigeons qu'elle
apportera au prêtre à l'entrée de la Tente de Réunion. ³⁰ De
l'un le prêtre fera un sacrifice pour le péché et de l'autre
un holocauste. Le prêtre fera ainsi sur elle, devant Yahvé, le
rite d'expiation de son écoulement qui la rendait impure.

**Conclusion.**

³¹ Vous avertirez les en-
fants d'Israël de leurs impuretés, afin qu'à cause d'elles

---

**15** 31. « *avertirez* » hizhartèm *conj.*; « *éloignerez* » hizzartèm *H.*

ils ne meurent pas en souillant ma Demeure qui se trouve au milieu d'eux[a].

³² Telle est la loi concernant l'homme qui a un écoulement[b], celui que rend impur un épanchement séminal, ³³ la femme lors de l'impureté de ses règles, l'homme ou la femme qui a un écoulement, l'homme qui couche avec une femme impure.

**Le grand Jour des Expiations[c].**

**16.** ¹ Yahvé parla à Moïse après la mort des deux fils d'Aaron qui périrent en présentant devant Yahvé un feu irrégulier[d]. ² Yahvé dit à Moïse :

Parle à Aaron ton frère : qu'il n'entre pas à n'importe quel moment dans le sanctuaire derrière le voile, en face du propitiatoire[e] qui se trouve sur l'arche. Il pourrait mourir, car j'apparais au-dessus du propitiatoire dans une nuée[f].

³ Voici comment il pénétrera dans le sanctuaire : avec un taureau destiné à un sacrifice pour le péché et un bélier pour un holocauste[g]. ⁴ Il revêtira une tunique de lin consacrée, il portera à même le corps un caleçon de lin,

---

*a*) Cette première conclusion fait la transition avec le ch. suivant. Elle a aussi pour but de rattacher aux ch. relatifs au sacerdoce (ch. **10**).

*b*) Peut-être cette répétition a-t-elle été faite lorsque furent ajoutés les derniers mots, lors de la synthèse finale.

*c*) Ce ch. clôt l'énumération des impuretés par le rite annuel qui les expie toutes. La rédaction combine plusieurs rituels d'âge différent mais la cérémonie est ancienne et paraît avoir été rattachée à la fête des Tentes ou du Nouvel An, avant de recevoir une date particulière, v. 29. Le rite de l'envoi du bouc à Azazel, vv. 8-10, 20-22, 26, a un caractère archaïque, voir les notes suivantes. Voir des règles complémentaires en **23** 26-32 et Nb **29** 7-11. — Le besoin d'expiation qu'expriment les anciens rites a trouvé sa réponse dans le sacrifice unique du Christ, He **9** 6-14.

*d*) Cf. **10** 1 s.

*e*) Litt. « expiatoire » ou « couvercle »; cf. Ex **25** 17-22.

*f*) Cf. Ex **40** 34 et Nb **7** 89.

*g*) Le ch. **8** donne de semblables prescriptions pour le sacrifice d'investiture des prêtres.

il se ceindra d'une ceinture de lin, il s'enroulera sur la tête*a*
un turban de lin. Ce sont des vêtements sacrés qu'il revêtira après s'être lavé à l'eau.

⁵ Il recevra de la communauté des enfants d'Israël deux
boucs destinés à un sacrifice pour le péché et un bélier
pour un holocauste. ⁶ Après avoir offert le taureau du
sacrifice pour son propre péché*b* et fait le rite d'expiation
pour lui et pour sa maison, ⁷ Aaron prendra ces deux boucs
et les placera devant Yahvé à l'entrée de la Tente de
Réunion. ⁸ Il tirera les sorts*c* pour les deux boucs, attri-
buant un sort à Yahvé et l'autre à Azazel*d*. ⁹ Aaron offrira
le bouc sur lequel est tombé le sort « A Yahvé » et en fera
un sacrifice pour le péché. ¹⁰ Quant au bouc sur lequel est
tombé le sort « A Azazel », on le placera vivant devant
Yahvé pour faire sur lui le rite d'expiation*e*, pour l'envoyer
à Azazel dans le désert.

¹¹ Aaron offrira le taureau du sacrifice pour son propre
péché*f*, puis il fera le rite d'expiation pour lui et pour sa

----

*a*) « Sur la tête » n'est pas dans le texte. Ce costume liturgique est beaucoup plus simple que celui que porte habituellement le grand prêtre.

*b*) Litt. « après avoir offert le taureau de son propre sacrifice pour le
péché ». Le détail de cette partie du rituel est donné plus loin. (v. 11).
Ce rituel, conçu dans l'esprit du Lévitique (cf. **4**), paraît avoir été superposé
au rite plus archaïque du bouc émissaire (vv. 7 s). Voir au ch. **14** une fusion
semblable dans le rite de la purification du lépreux.

*c*) Selon les rabbins ces sorts consistaient en deux tables de buis ou d'or
déposées dans une grande urne. Le grand prêtre les prenait au hasard, une
dans chaque main, et celle qu'il avait dans la main droite était celle de
Yahvé.

*d*) Azazel, comme semble l'avoir bien compris la version syriaque, est
le nom d'un démon que les anciens Hébreux et Cananéens croyaient
habiter le désert, terre infertile où l'action fécondante de la divinité ne
s'exerce pas (Is **34** 11; **13** 21; cf. Lc **11** 24). On leur attribuait la forme de
boucs (racine ʿzz ; voir aussi Lv **17** 7). Pour éviter de donner à ce démon
le nom de El, le texte hébreu a interverti deux consonnes (ʿzʾzl au lieu
de ʿzzʾl). Il est important de noter que dans ce rituel on n'offre pas de
sacrifice à ce démon, on lui envoie le bouc sans l'immoler.

*e*) Cette assimilation du rite à une expiation est intéressante.

*f*) G^AB ajoute « et celui de sa maison ».

maison et immolera ce taureau. [12] Il remplira alors un encensoir avec des charbons ardents pris sur l'autel, de devant Yahvé, et il prendra deux pleines poignées d'encens fin aromatique. Il portera le tout derrière le voile, [13] et déposera l'encens sur le feu devant Yahvé; il recouvrira d'un nuage d'encens le propitiatoire qui est sur le Témoignage[a], et ne mourra pas[b]. [14] Puis il prendra du sang du taureau et en aspergera avec le doigt le côté oriental du propitiatoire; devant le propitiatoire il fera de ce sang sept aspersions avec le doigt.

[15] Il immolera alors[c] le bouc destiné au sacrifice pour le péché du peuple et il en portera le sang derrière le voile. Il procédera avec ce sang comme avec celui du taureau, en faisant des aspersions sur le propitiatoire et devant celui-ci. [16] Il fera ainsi le rite d'expiation sur le sanctuaire pour les impuretés des enfants d'Israël, pour leurs transgressions et pour tous leurs péchés.

Ainsi procédera-t-il pour la Tente de Réunion qui demeure avec eux au milieu de leurs impuretés[d]. [17] Que personne ne se trouve dans la Tente de Réunion depuis l'instant où il entrera pour faire l'expiation dans le sanctuaire jusqu'à ce qu'il en sorte !

Quand il aura fait l'expiation pour lui, pour sa maison et pour toute la communauté d'Israël, [18] il sortira, ira à l'autel qui est devant Yahvé et fera sur l'autel le rite d'expiation. Il prendra du sang du taureau et du sang du bouc et il en mettra sur les cornes au pourtour de l'autel.

---

*a*) Il s'agit de l'Arche et des Tables de la Loi.

*b*) Cf. v. 2 et note *f*. Le Sémite, avec une vive conscience de la transcendance de Dieu, estimait que l'on ne pouvait voir Dieu sans mourir (Ex **33** 20; Jg **13** 22).

*c*) G ajoute « devant Yahvé ».

*d*) L'auteur note ce qu'a d'extraordinaire cette demeure divine au milieu d'un peuple souillé (cf. Is **6** 4). Voir Dt **4** 7.

¹⁹ De ce sang il fera sept aspersions sur l'autel avec son doigt. Ainsi le rendra-t-il pur et sacré, purifié et séparé des impuretés*ᵃ* des enfants d'Israël*ᵇ*.

²⁰ Une fois achevée l'expiation du sanctuaire, de la Tente de Réunion et de l'autel, il fera approcher*ᶜ* le bouc encore vivant. ²¹ Aaron lui posera les deux mains sur la tête et confessera à sa charge toutes les fautes des enfants d'Israël, toutes leurs transgressions et tous leurs péchés. Après en avoir ainsi chargé la tête du bouc, il l'enverra au désert sous la conduite d'un homme qui se tiendra prêt, ²² et le bouc emportera sur lui toutes leurs fautes en un lieu aride*ᵈ*.

Quand il aura envoyé le bouc au désert, ²³ Aaron rentrera dans la Tente de Réunion, retirera les vêtements de lin qu'il avait mis pour entrer au sanctuaire. Il les déposera là, ²⁴ et se lavera le corps avec de l'eau dans un lieu consacré*ᵉ*. Puis il reprendra ses vêtements et sortira pour offrir son holocauste et celui du peuple. Il fera le rite d'expiation pour lui et pour le peuple*ᶠ*; ²⁵ la graisse du sacrifice pour le péché, il la fera fumer à l'autel.

²⁶ Celui qui aura conduit le bouc à Azazel devra nettoyer

---

*a*) Litt. « Ainsi le rendra-t-il purifié et sanctifié des impuretés ».

*b*) La purification du sanctuaire est ainsi achevée. Ézéchiel la prévoyait dans des conditions un peu différentes (Ez **45** 18-20). Il reste maintenant à éliminer les effets des fautes passées : c'est le rôle du bouc dit « émissaire » (mot qui vient de la traduction des Septante), substitué au peuple. L'Épître aux Hébreux (**9** 7-14) a montré comment le Christ a réalisé en sa personne ce besoin d'expiation que beaucoup de peuples avaient exprimé dans leurs rites. Cf Rm **3** 25.

*c*) Avant « il fera approcher » G ajoute « il purifiera les prêtres ».

*d*) Autre traduction : « lieu solitaire ». Dans les deux cas il s'agit d'une terre où ne s'exerce pas l'action vivifiante de Yahvé, et hantée par des démons (Is **13** 21 ; **34** 11 ; Tb **8** 3 ; Lc **11** 4).

*e*) Avant d'offrir les sacrifices agréables à Dieu, le grand prêtre accomplit un rite symbolique qui achève de le dégager de tous les péchés d'Israël ainsi que de son contact avec l'animal impur.

*f*) G : « pour lui, pour sa maison, pour le peuple comme pour les prêtres ». — Il n'y a qu'un seul sacrifice ; c'est l'holocauste qui vaut expiation (**1** 4).

ses vêtements et se laver le corps avec de l'eau<sup>*a*</sup>, après quoi il pourra rentrer au camp. <sup>27</sup> Quant au taureau et au bouc offerts en sacrifice pour le péché et dont le sang a été porté dans le sanctuaire pour faire le rite d'expiation, on les emportera hors du camp et l'on brûlera dans un feu leur peau, leur chair et leur fiente. <sup>28</sup> Celui qui les aura brûlés devra nettoyer ses vêtements, se laver le corps avec de l'eau, après quoi il pourra rentrer au camp.

<sup>29</sup> Cela sera pour vous une loi perpétuelle.

Au septième mois<sup>*b*</sup>, le dixième jour du mois, vous jeûnerez<sup>*c*</sup>, et ne ferez aucun travail, pas plus le citoyen que l'étranger qui réside parmi vous. <sup>30</sup> C'est en effet en ce jour que l'on fera sur vous le rite d'expiation pour vous purifier. Vous serez purs devant Yahvé de tous vos péchés. <sup>31</sup> Ce sera pour vous un repos sabbatique et vous jeûnerez. C'est une loi perpétuelle.

<sup>32</sup> Le prêtre qui aura reçu l'onction et l'investiture pour officier à la place de son père fera le rite d'expiation<sup>*d*</sup>. Il revêtira les vêtements de lin, vêtements sacrés; <sup>33</sup> il fera l'expiation du sanctuaire consacré, de la Tente de Réunion et de l'autel. Il fera ensuite le rite d'expiation sur les prêtres et sur tout le peuple de la communauté. <sup>34</sup> Cela sera pour vous une loi perpétuelle; une fois par an se fera sur les enfants d'Israël le rite d'expiation pour tous leurs péchés.

Et l'on fit comme Yahvé l'avait commandé à Moïse.

---

*a*) Comme le grand prêtre il a été en contact avec l'animal chargé des impuretés d'Israël.

*b*) Septembre-octobre. Cf. **23** 27 s. Le 10 de ce mois était peut-être considéré comme le début de l'année. — G<sup>AB</sup> omet « le dixième jour du mois ».

*c*) Litt. « vous vous humilierez, vous vous affligerez vous-mêmes ». Il semble que cette expression implique plus que la seule absence de nourriture. D'après les traditions juives, il fallait également s'abstenir de sandales, de parfums, d'ablutions et de l'usage du mariage.

*d*) L'auteur précise le caractère permanent de l'institution, une des plus importantes du judaïsme.

# IV

## *LOI DE SAINTETÉ*[a]

**Immolations
et sacrifices**[b].

**17.** ¹ Yahvé parla à Moïse
et dit :

² Parle à Aaron, à ses fils
et à tous les enfants d'Israël.

Dis-leur :

Voici la parole de Yahvé, ce qu'il a commandé :

³ Tout homme de la maison d'Israël qui, dans le camp
ou hors du camp, immolera taureau, agneau ou chèvre,
⁴ sans l'amener à l'entrée de la Tente de Réunion pour en
faire offrande à Yahvé[c] devant sa demeure, cet homme

---

*a*) La sainteté est l'un des attributs essentiels du Dieu d'Israël (cf. Lv **11**
44-45; **19** 2; **20** 7, 26; **21** 8; **22** 32 s). L'idée première est celle de séparation, d'inaccessibilité, d'une transcendance qui inspire une crainte religieuse (Ex **33** 20, etc.). Cette sainteté se communique à ce qui approche de
Dieu ou lui est consacré : les lieux (Ex **19** 12 s; les temps, Ex **16** 23;
Lv **23** 4; l'arche, 2 S **6** 7, etc.); les personnes (Ex **19** 6, etc.), spéciale-
ment les prêtres (Lv **21** 6); les objets (Ex **30** 29; Nb **18** 9, etc.). A cause de son
rapport avec le culte, la notion de sainteté s'allie à celle de pureté rituelle :
la « loi de sainteté » de Lv **17-23** est autant une « loi de pureté ». Mais le
caractère moral du Dieu d'Israël a spiritualisé cette conception primitive :
la séparation du profane devient abstention du péché et à la pureté rituelle
s'unit la pureté de conscience, cf. la vision inaugurale d'Isaïe (Is **6** 3 s).
Voir les notes sur **1** 1 et **11** 1.

*b*) Comme les autres codes (Ex **20** 24 s; Dt **12**), cette loi commence
par une ordonnance sur les sacrifices d'animaux. Le ch. oppose le
Dieu d'Israël qui vit dans son camp aux démons qui hantent le désert
(cf. au ch. **16** Azazel, qui équivaut aux satyres du v. 17). Puisque la vie
est dans le sang (v. 11) et que Dieu est maître de la vie, tout abattage est
considéré comme un acte rituel. L'auteur, se plaçant dans l'hypothèse du
désert, ne voit pas de difficulté pratique à concentrer au sanctuaire toute
immolation. Le Deutéronome au contraire, dans l'hypothèse d'un Israël
répandu sur tout Canaan, distinguait immolation rituelle et abattage
profane (Dt **12** 13, 15).

*c*) Sam et G ont un texte plus long : « sans l'amener à la Tente de

répondra du sang répandu, il sera retranché du milieu de son peuple. [5] Ainsi les enfants d'Israël apporteront au prêtre pour Yahvé, à l'entrée de la Tente de Réunion, les sacrifices qu'ils voudraient faire dans la campagne, et ils en feront pour Yahvé des sacrifices de communion. [6] Le prêtre versera le sang sur l'autel[a] de Yahvé qui se trouve à l'entrée de la Tente de Réunion et il fera fumer la graisse en parfum d'apaisement pour Yahvé. [7] Ils n'offriront plus leurs sacrifices à ces satyres[b] dans l'obédience desquels ils se prostituaient[c]. C'est une loi perpétuelle que celle-ci, pour eux et leurs descendants.

[8] Tu leur diras encore : Tout homme de la maison d'Israël ou tout étranger résidant parmi vous[d] qui offre un holocauste ou un sacrifice [9] sans l'apporter à l'entrée de la Tente de Réunion pour l'offrir à Yahvé, cet homme sera retranché de sa race.

[10] Tout homme de la maison d'Israël ou tout étranger résidant parmi vous qui mangera du sang, n'importe quel sang, je me tournerai contre celui-là qui aura mangé ce sang, et je le retrancherai du milieu de son peuple. [11] Oui, la vie de la chair est dans le sang. Ce sang, je vous l'ai donné, moi, pour faire sur l'autel le rite d'expiation pour vos vies[e]; car c'est le sang qui expie pour une

---

Réunion pour en faire à Yahvé un holocauste ou un sacrifice de communion afin que vous soyez agréés en parfum d'apaisement, mais en l'immolant à l'extérieur sans l'amener à la Tente de Réunion pour l'offrir à Yahvé... ».

*a*) G a « sur le pourtour de l'autel ».

*b*) Cf. **16** 8 et p. 83, note *b;* Is **13** 21; **34** 12-14. Le mot finira par désigner les faux dieux, 2 Ch **11** 15.

*c*) Cette image fut appliquée par les prophètes, Osée en particulier, aux erreurs religieuses d'Israël, d'autant plus facilement que les conceptions religieuses des Cananéens sur le culte de la fertilité favorisaient la débauche auprès des sanctuaires.

*d*) C'est une extension de la loi précédente à ceux qui habitaient en Israël sans être membres d'une famille israélite.

*e*) Ce paragraphe donne l'explication théologique de cette ancienne prohibition. On trouve chez d'autres peuples d'autres conceptions du

vie*a*. ¹² Voilà pourquoi j'ai dit aux enfants d'Israël :
« Nul d'entre vous ne mangera de sang et l'étranger qui
réside parmi vous ne mangera pas de sang. »

¹³ Quiconque, enfant d'Israël ou étranger résidant parmi
vous, prendra à la chasse un gibier ou un oiseau qu'il est
permis de manger*b*, en devra répandre le sang et le recou-
vrir de terre. ¹⁴ Car la vie de toute chair, c'est son sang,
et j'ai dit*c* aux enfants d'Israël : « Vous ne mangerez du
sang d'aucune chair car la vie de toute chair, c'est son
sang, et quiconque en mangera sera supprimé. »

¹⁵ Quiconque, citoyen ou étranger, mangera une bête
morte ou déchirée*d*, devra nettoyer ses vêtements et se
laver avec de l'eau; il sera impur jusqu'au soir, puis il
sera pur. ¹⁶ Mais s'il ne les nettoie pas et ne se lave pas le
corps, il portera le poids de sa faute.

**18**. ¹ Yahvé parla à Moïse

**Règles**                    et dit :

**sur l'union conjugale***e*.         ² Parle aux enfants d'Israël

et dis-leur :

sacrifice; pour notre auteur c'est le point de vue de la vie qui compte.
Sans entrer dans aucune précision scientifique il constate que chez les
animaux et chez l'homme la vie est liée au sang : le respect de la vie dont
l'origine est divine implique le respect du sang. C'est par une faveur
spéciale de Dieu que le sang répandu sur l'autel restaure la vie du bénéficiaire du sacrifice. L'Épître aux Hébreux (**9** 7, 21 s) développera cette idée.

*a*) Litt. « dans une vie ». Autre explication : « par la vie qui est en lui »
ou : « en tant qu'il est en vie ». Mais cf. Dt **19** 21.

*b*) Le gibier n'était pas immolé rituellement (Dt **12** 15), mais même
dans ce cas la manducation du sang est interdite.

*c*) G et Syr ont : « C'est en effet son sang qui est dans sa vie et j'ai dit. »

*d*) Interdiction très ancienne (Ex **22** 30). Dieu se réserve ce qu'il a fait
lui-même mourir.

*e*) Ce ch. forme une unité littéraire avec son introduction et sa
conclusion. Il est plus proche du Deutéronome que le reste de la loi de
sainteté. Son but est d'assurer par des règles précises la rectitude de la trans-
mission de la vie dans la race élue par Yahvé, la pureté de son sang. Cet
idéal assurera à la vie de la communauté juive une hauteur morale qui
tranche avec les mœurs et coutumes sexuelles du paganisme ambiant.
Voir Rm **1** 18 s.

Je suis Yahvé votre Dieu. ³ Vous n'agirez point comme
on fait au pays d'Égypte où vous avez habité; vous
n'agirez point comme on fait au pays de Canaan où moi
je vous mène. Vous ne suivrez point leurs lois, ⁴ ce sont
mes coutumes que vous appliquerez et mes lois que vous
garderez, c'est d'après elles que vous vous conduirez.

Je suis Yahvé votre Dieu. ⁵ Vous garderez mes lois et
mes coutumes : qui les accomplira y trouvera la vie[a].

Je suis Yahvé.

⁶ Aucun de vous ne s'approchera de sa proche parente[b]
pour en découvrir la nudité[c]. Je suis Yahvé.

⁷ Tu ne découvriras pas la nudité de ton père ni la
nudité de ta mère. C'est ta mère, tu ne découvriras pas
sa nudité[d].

⁸ Tu ne découvriras pas la nudité de la femme de ton
père, c'est la nudité même de ton père.

⁹ Tu ne découvriras pas la nudité de ta sœur[e], qu'elle
soit fille de ton père ou fille de ta mère. Qu'elle soit née à
la maison, qu'elle soit née au dehors, tu n'en découvriras
pas la nudité.

---

*a*) Comparer avec Dt **4** 1; **5** 29; **6** 24; **8** 1. Cette idée sera reprise par
Ez **20** 11; Ne **9** 29, et saint Paul y fera allusion, Rm **10** 5; Ga **3** 12.

*b*) Litt. « de la chair de son corps ». La parenté s'exprime en hébreu par
l'image d'une identité de sang, de chair, voire d'os (Jg **9** 2). En Gn **2** 23 s
les deux expressions : « celle-ci est os de mes os et chair de ma chair »,
« l'homme quittera son père et sa mère, s'attachera à sa femme et ils deviendront une seule chair », indiquent que l'union de l'homme et de la femme
est plus étroite encore que celle qui naît du lien familial; d'où les vv. 8, 14
et 16 de notre ch. De plus les règles contre l'inceste, fréquentes chez
les primitifs, sont ici systématisées autour de l'idée qu'une chair ne se
féconde pas elle-même.

*c*) Euphémisme (Dt **23** 15). L'expression, impliquant des rapports
sexuels avec une nuance péjorative, se retrouve en 1 S **20** 30 et dans des
expressions injurieuses des Bédouins d'Arabie. Tout ce passage vise ce que
nous appellerions des empêchements de mariage.

*d*) Cf. Dt **23** 1; **27** 20, 23.

*e*) Cf. Dt **27** 22.

<sup>10</sup> Tu ne découvriras pas la nudité de la fille de ton fils; ni celle de la fille de ta fille. Car leur nudité, c'est ta propre nudité.

<sup>11</sup> Tu ne découvriras pas la nudité de la fille de la femme de ton père, née de ton père. C'est ta sœur, tu ne dois pas en découvrir la nudité.

<sup>12</sup> Tu ne découvriras pas la nudité de la sœur de ton père, car c'est la chair de ton père.

<sup>13</sup> Tu ne découvriras pas la nudité de la sœur de ta mère, car c'est la chair même de ta mère.

<sup>14</sup> Tu ne découvriras pas la nudité du frère de ton père[a]; tu ne t'approcheras donc pas de son épouse, car c'est la femme de ton oncle.

<sup>15</sup> Tu ne découvriras pas la nudité de ta belle-fille. C'est la femme de ton fils, tu n'en découvriras pas la nudité.

<sup>16</sup> Tu ne découvriras pas la nudité de la femme de ton frère, car c'est la nudité même de ton frère.

<sup>17</sup> Tu ne découvriras pas la nudité d'une femme et celle de sa fille; tu ne prendras pas la fille de son fils ni la fille de sa fille pour en découvrir la nudité. Elles sont ta propre chair, ce serait un inceste[b].

<sup>18</sup> Tu ne prendras pas pour ton harem[c] une femme en

---

**18** 11. « *Tu ne découvriras pas* » G ; *omis par* H.
    17. « *ta propre chair* » šeʾerekâ G ; « *son reste* » ( ?) šaʿărâh H.

---

*a*) L'oncle paternel a une position privilégiée dans la famille patriarcale.
  *b*) Autres traductions : « impudicité, stupre ». Mais ce mot rare et difficile paraît désigner en sémitique (cf. Coran, **9** 8) ce qui se rapporte à la parenté. Les règles relatives à l'inceste jouent en effet un grand rôle en ethnographie. Voir aussi **20** 14.
  *c*) Le mot ainsi traduit (litt. « réclusion ») veut dire en arabe « prendre une seconde femme ». D'où l'autre traduction possible : « Tu ne prendras pas à la fois une femme et sa sœur... ». Ce v. difficile devait s'expliquer par 2 S **20** 3, malheureusement assez obscur. En tout cas Jacob n'observait pas cette loi (Gn **29** 28 s).

même temps que sa sœur en découvrant[a] la nudité de celle-ci du vivant de sa sœur[b].

¹⁹ Tu ne t'approcheras pas, pour découvrir sa nudité, d'une femme que ses règles rendent impure.

²⁰ A la femme de ton compatriote tu ne donneras pas ton lit conjugal[c], tu en deviendrais impur[d].

²¹ Tu ne livreras pas de tes enfants[e] à faire passer à Molek[f], et tu ne profaneras pas ainsi le nom de ton Dieu. Je suis Yahvé.

²² Tu ne coucheras pas avec un homme comme on couche avec une femme[g]. C'est une abomination.

²³ Tu ne donneras ta couche à aucune bête; tu en deviendrais impur. Une femme ne s'offrira pas à un animal pour s'accoupler à lui. Ce serait une souillure.

---

21. « *à faire passer* » leha'abîr *H* ; « *à faire périr* » leha'âbîd *Sam* ; « *à servir* » la'abod *G* ; « *à faire coucher* » leharbîa' *Syr*.

---

*a)* Litt. « découvrant sur elle »; « sur elle » est explétif (Lm **2** 12; **4** 22).

*b)* Il semble que l'on ait encore ici une application du principe général : les deux époux étant une seule chair, il y aurait inceste si le même homme avait des rapports avec deux sœurs.

*c)* Litt. « de semence ».

*d)* L'adultère est ici ramené à une notion d'impureté. Noter les euphémismes.

*e)* Litt. « de ta descendance ».

*f)* Verset très controversé. Autre traduction : « Tu ne livreras point ta descendance à faire passer en Molok », c'est-à-dire Mélék; le P. de Vaux a prouvé que c'était un vocable divin. Dans notre v. le rite semble s'adresser à Yahvé; c'est le nom et la nature de Yahvé qui répugnent à ce rite. Le môlék (*molk* dans des inscriptions religieuses puniques, donc d'inspiration phénicienne) paraît être un sacrifice (l'étymologie réelle reste douteuse, mais on notera l'expression curieuse « faire passer » qui a tant gêné les versions anciennes). Selon cette coutume superstitieuse on « faisait passer » par le feu un enfant dans le royaume des morts, d'où l'on attendait qu'il revigorât la race et le pays menacés. Le roi Achaz (2 R **23** 10) avait lui-même cédé à cette croyance sémitique. Mais Yahvé est un dieu de vie qui n'admet pas cette puissance attribuée aux morts, et les Prophètes protestèrent (Jr **32** 35). Toutefois à une certaine époque le rite semble avoir été compris comme un sacrifice fait à un faux dieu (cf. **20** 5 et la note), peut-être par une interprétation forcée d'Ez **16** 21.

*g)* C'est le crime de Sodome (Gn **19** 5).

²⁴ Ne vous rendez impurs par aucune de ces pratiques : c'est par elles que se sont rendues impures les nations que j'ai chassées devant vous. ²⁵ Le pays est devenu impur, j'ai sanctionné sa faute et le pays a dû vomir ses habitants. ²⁶ Mais vous, vous garderez mes lois et mes coutumes, vous ne commettrez aucune de ces abominations, pas plus le citoyen que l'étranger qui réside parmi vous. ²⁷ Car toutes ces abominations-là, les hommes qui ont habité ce pays avant vous les ont commises et le pays en a été rendu impur. ²⁸ Si vous le rendez impur, ne vous vomira-t-il pas comme il a vomi la nation qui vous a précédés ? ²⁹ Oui, quiconque commet l'une de ces abominations, quelle qu'elle soit, tous les êtres qui les commettent, ceux-là seront retranchés de leur peuple. ³⁰ Gardez mes observances sans mettre en pratique ces lois abominables que l'on appliquait avant vous; ainsi ne vous rendront-elles pas impurs. Je suis Yahvé, votre Dieu.

**Prescriptions morales et cultuelles**ᵃ.

**19.** ¹ Yahvé parla à Moïse et dit : ² Parle à toute la communauté des enfants d'Israël, dis-leur :

Soyez saints, car moi, Yahvé votre Dieu, je suis saint. ³ Chacun de vous craindra sa mère et son père ᵇ.

Et vous garderez mes sabbats ᶜ. Je suis Yahvé votre Dieu.

---

*a*) A la différence du précédent ch. où n'était pas mentionnée la sainteté de Yahvé, celle-ci devient le thème central. Choisis par Yahvé, les Israélites doivent participer à sa sainteté et pour cela observer des règles spéciales (v. 2) qui leur permettent de vivre avec Dieu, de s'unir à sa vie et à sa transcendance. Ce ch. forme une unité, avec introduction et conclusion propres, toutes deux très brèves.

*b*) Sam G et Vulg ont l'ordre inverse : « son père et sa mère ». Voir le Décalogue, Ex **20** 12; Dt **5** 16.

*c*) Cf. **19** 30 et **26** 2. C'est aussi un précepte du Décalogue, Ex **20** 8.

⁴ Ne vous tournez pas vers les idoles*a* et ne vous faites pas fondre des dieux de métal. Je suis Yahvé votre Dieu.

⁵ Si vous faites pour Yahvé un sacrifice de communion, offrez-le de manière à être agréés. ⁶ On en mangera le jour du sacrifice ou le lendemain; ce qui en restera le surlendemain sera brûlé au feu. ⁷ Si on en mangeait le surlendemain ce serait un mets corrompu*b* qui ne serait point agréé*c*. ⁸ Celui qui en mangera portera le poids de sa faute, car il aura profané la sainteté de Yahvé : cet être sera retranché des siens.

⁹ Lorsque vous récolterez la moisson de votre pays, vous ne moissonnerez pas jusqu'à l'extrême bout du champ*d*. Tu ne ramasseras pas la glanure de ta moisson, ¹⁰ tu ne grappilleras pas ta vigne et tu ne ramasseras pas les fruits tombés dans ton verger. Tu les abandonneras au pauvre et à l'étranger. Je suis Yahvé votre Dieu.

¹¹*e* Nul d'entre vous ne commettra vol, dissimulation ou fraude envers son compatriote*f*. ¹² Vous ne jurerez point frauduleusement par mon nom; tu profanerais le nom de ton Dieu. Je suis Yahvé. ¹³ Tu n'exploiteras pas ton

---

*a*) Litt. « des riens » (cf. Jr **14** 14), tandis que Yahvé est « celui qui est ». Cf. Ex **20** 4 s.

*b*) Cf. **7** 18.

*c*) C'est donc la manducation de la victime qui plaît à Yahvé et vaut sacrifice; en **3** 5 c'était plutôt l'offrande des graisses brûlées, car on y tend à interpréter le sacrifice de communion par l'holocauste. La conception de **19** 7 paraît plus primitive.

*d*) Cf. Dt **24** 19-22. Chez d'autres peuples on voit là une part réservée au dieu qui fait pousser les moissons et les fruits. Yahvé met cette part à la disposition des pauvres de son peuple.

*e*) Ce petit paragraphe sur les devoirs envers le prochain s'inspire directement du Décalogue. Semblables dispositions se retrouvent dans toutes les législations du Pentateuque. Sur le vol et la fraude, cf. Ex **20** 15; **21** 16 et **21** 37; Dt **24** 7 et **25** 13. Sur le faux témoignage : Ex **20** 16; **23** 1, 7; Dt **19** 16 s. Sur le salaire de l'ouvrier ; Dt **24** 14 s (cf. Jr **22** 13).

*f*) Voir note sur **5** 21.

prochain et ne le spolieras pas : le salaire de l'ouvrier ne demeurera pas avec toi jusqu'au lendemain matin. [14] Tu ne maudiras pas un muet[a] et tu ne mettras pas d'obstacle devant un aveugle, mais tu craindras ton Dieu. Je suis Yahvé.

[15] Vous ne commettrez point d'injustice dans les sentences. Tu ne feras pas de faveurs au petit ni ne te laisseras éblouir par le grand : c'est selon la justice que tu jugeras ton compatriote. [16] Tu n'iras pas diffamer les tiens et tu ne mettras pas en cause le sang de ton prochain[b]. Je suis Yahvé. [17] Tu n'auras pas dans ton cœur de haine pour ton frère. Tu dois réprimander ton compatriote et ainsi tu n'auras pas la charge d'un péché[c]. [18] Tu ne te vengeras pas et tu ne garderas pas de rancune envers les enfants de ton peuple[d]. Tu aimeras ton prochain comme toi-même[e]. Je suis Yahvé.

[19] Vous garderez mes lois.

Tu n'accoupleras pas dans ton bétail deux bêtes d'espèce différente, tu ne sèmeras pas dans ton champ deux espèces différentes de graine, tu ne porteras pas sur toi un vêtement en deux espèces de tissu[f].

--------

a) Il ne peut répondre en maudissant à son tour. Autre traduction : « sourd ».

b) Par une accusation capitale injustifiée. Litt. « tu ne te tiendras pas contre le sang de ton prochain ». Le verbe se retrouve aussi dans d'autres cas comme appartenant à la langue juridique, en fonction soit du juge soit des plaideurs.

c) Sur cette expression, cf. Lv **22** 9; Nb **18** 32. Ézéchiel (**2** 18-21; **33** 8 s) avait une vive conscience de l'obligation d'avertir un compatriote en faute. Le Christ fera allusion à cette obligation (Mt **18** 15).

d) Précepte important qui prépare une des demandes du *Pater* (Mt **18** 15), cf. Si **10** 6; Rm **12** 19.

e) Ce paragraphe traite de la fraternité entre les Israélites. Plus moral que juridique, il se termine par un v. que reprendra notre Seigneur (Mt **22** 39). Le N. T. insistera (Rm **13** 9; Ga **5** 14; Jc **2** 8).

f) Systématisation de prescriptions du Deutéronome (**22** 9-11) dirigées contre la magie qui affectionne les combinaisons bizarres.

²⁰ Si un homme couche maritalement avec une femme, si celle-ci est la servante concubine[a] d'un homme auquel elle n'a pas été rachetée et qui ne lui a pas donné sa liberté, le premier sera passible d'un droit mais il ne mourra pas, car elle n'était pas libre. ²¹ Il apportera pour Yahvé un sacrifice de réparation à l'entrée de la Tente de Réunion. Ce sera un bélier de réparation. ²² Avec ce bélier de réparation le prêtre fera sur l'homme le rite d'expiation devant Yahvé pour le péché commis; et le péché qu'il a commis lui sera pardonné.

²³ Lorsque vous serez entrés en ce pays et que vous aurez planté quelque arbre fruitier, vous considérerez ses fruits comme si c'était son prépuce[b]. Pendant trois ans ils seront pour vous une chose incirconcise, on n'en mangera pas. ²⁴ La quatrième année tous les fruits en seront consacrés dans une fête de louange[c] à Yahvé. ²⁵ C'est la cinquième année que vous en pourrez manger les fruits et récolter pour vous-mêmes les produits. Je suis Yahvé votre Dieu.

---

**19** 20. « *il ne mourra pas* » *conj.*; « *ils ne mourront pas* » H.

---

*a*) Sur la servante concubine, cf. Ex **21** 7 s. Le sens du mot est cependant discuté. L'auteur veut très probablement dire que, vu le statut de servante, il n'y a pas ici adultère, mais simple atteinte aux droits du maître, d'où indemnité et sacrifice de réparation (en application de **5** 1 s).

*b*) La circoncision (cf. Gn **17** 10) était primitivement considérée comme une offrande à Dieu préalable au droit de procréer. Le prépuce est donc le symbole d'un acte ou d'une chose réservés à la divinité. C'est dans la même ligne qu'un fruit prépuce est un fruit dont on ne peut jouir.

*c*) « Louange » : le mot (*hillûlîm*) évoque les chants de vendange d'une religion naturiste (cf. Jg **9** 27). Notre texte en élimine le sens païen et rattache le rite à Yahvé. Il interprète de plus les fruits de la quatrième année comme une sorte de prémices qu'il faut consommer pendant la fête, de même que l'on consommait au sanctuaire les prémices de tous les produits du sol (Dt **26** 11).

²⁶ Vous ne mangerez rien*ᵃ* avec du sang; vous ne pratiquerez ni divination ni incantation*ᵇ*.

²⁷*ᶜ* Vous n'arrondirez pas le bord de votre chevelure et tu ne couperas pas le bord de ta barbe. ²⁸ Vous ne vous ferez pas d'incisions dans le corps pour un mort et vous ne vous ferez pas de tatouage. Je suis Yahvé.

²⁹ Ne profane pas ta fille en la prostituant; ainsi le pays ne sera pas prostitué et rendu tout entier incestueux*ᵈ*.

³⁰ Vous garderez mes sabbats et révérerez mon sanctuaire. Je suis Yahvé.

³¹ Ne vous tournez pas vers les spectres*ᵉ* et ne recherchez pas les devins, ils vous souilleraient. Je suis Yahvé votre Dieu.

³² Tu te lèveras devant une tête chenue, tu honoreras la personne du vieillard et tu craindras ton Dieu. Je suis Yahvé.

³³ Si un étranger*ᶠ* réside avec vous dans votre pays,

---

*a*) G précise « sur les montagnes ».

*b*) Divination et incantation magique (cf. Dt **18** 10-12; 1 S **28** 7) recourent toutes deux à des procédés non rationnels, la première pour connaître les choses cachées, la seconde pour agir sur les événements. Cette dernière de plus utilise souvent le sang. Sur le sang, voir **17** 10-14.

*c*) Cet ensemble de prescriptions vise certaines coutumes païennes des peuples avoisinants (Jr **25** 23). Les Arabes « se tondent en rond en rasant les tempes » (HÉRODOTE, III, 8). Les Cananéens se faisaient des incisions en cas de deuil. La prostitution sacrée était répandue en Canaan, en Syrie et en Babylonie. Il en était de même de la divination et de la magie (Dt **18** 11). Le yahvisme n'admet de surnaturel authentique qu'au sanctuaire où Dieu est présent et dans le sabbat où l'activité naturelle de l'homme fait place à une action supérieure de Dieu (cf. Gn **1**).

*d*) Litt. « et le pays ne sera pas plein d'inceste ». A l'image de la prostitution s'ajoute ici celle de l'inceste. Les ch. **18** et **20** soulignent de toutes manières l'importance donnée dans cette loi aux notions de race et de parenté.

*e*) Ou « nécromants » (cf. **20** 27), ceux qui « interrogent les spectres » (Dt **18** 11).

*f*) Ou « résidant ». Le mot désignait primitivement le réfugié qui a dû quitter sa tribu, mais dans cette législation il a pris un sens plus vague. Cf. Dt **24** 17.

vous ne le molesterez pas. [34] L'étranger qui réside avec vous sera pour vous comme un compatriote et tu l'aimeras comme toi-même, car vous avez été étrangers au pays d'Égypte. Je suis Yahvé votre Dieu.

[35] Vous ne commettrez point d'injustice dans les sentences, dans les mesures de longueur, de poids et de capacité[a]. [36] Vous aurez des balances justes, des poids justes, une mesure juste, un setier juste[b]. Je suis Yahvé qui vous ai fait sortir du pays d'Égypte.

[37] Gardez toutes mes lois et toutes mes coutumes, mettez-les en pratique. Je suis Yahvé.

**20.** [1] Yahvé parla à Moïse et dit :

**Châtiments[c] :**

**A. Fautes cultuelles.** [2] Tu diras aux enfants d'Israël :

Quiconque, enfant d'Israël ou étranger résidant en Israël, livre de ses fils à Molek[d] devra mourir. Les gens du pays le lapideront, [3] je me tournerai contre cet homme et le retrancherai du milieu de son peuple, car en ayant livré l'un de ses fils à Molek il aura souillé mon sanctuaire et profané mon saint nom. [4] Si les gens du pays veulent fermer les yeux sur cet homme quand il livre l'un de ses fils à Molek et ne le mettent pas à mort, [5] c'est moi qui m'opposerai à cet homme et à son clan[e]. Je les retrancherai du milieu de leur peuple, lui et tous ceux qui après lui iront se prostituer à la suite de Molek[f].

---

*a*) Les Prophètes ont rappelé ces exigences (Am **8** 5 ; Is **10** 1 s).

*b*) Cf. Dt **25** 13. Le setier (*hin*) vaut 1/6 de mesure (*épha*), c'est-à-dire de 6 à 7 litres.

*c*) Cette nouvelle section, avec introduction et conclusion propres, traite des sanctions et reprend de ce point de vue des prescriptions déjà faites.

*d*) Cf. **18** 21 et la note.

*e*) La responsabilité individuelle n'est pas admise comme elle le sera par Ézéchiel (**18**).

*f*) G (« après des rois ») suppose un texte hébreu (*mlkm*) différent du

⁶ Celui qui s'adressera aux spectres et aux devins*a* pour se prostituer à leur suite, je me tournerai contre cet homme-là et je le retrancherai du milieu de son peuple.

⁷ Vous vous sanctifierez*b* pour être saints, car je suis Yahvé votre Dieu*c*.

**B. Fautes
contre la famille.**

⁸ Vous garderez mes lois et vous les mettrez en pratique, car c'est moi Yahvé qui vous rends saints*d*. ⁹ Donc :

Quiconque maudira son père ou sa mère devra mourir. Puisqu'il a maudit son père ou sa mère, son sang retombera sur lui-même*e*.

¹⁰ L'homme qui commet l'adultère avec une femme mariée*f* :

L'homme qui commet l'adultère avec la femme de son prochain devra mourir, lui et sa complice.

¹¹ L'homme qui couche avec la femme de son père a découvert la nudité de son père. Tous deux devront mourir, leur sang retombera sur eux.

---

texte massorétique (*mlk*). Si l'on préfère cette leçon supposée par G, on doit traduire « à la suite de Milkom » (le dieu *Mlkm* des Ammonites, auquel Salomon avait dédié un temple à Jérusalem même) : on peut noter que 1 R **11** 7 écrit *mlk* le nom de ce dieu, connu par ailleurs sous la forme *mlkm*.

*a*) Cette prohibition, qui remontait à Saül (1 S **28** 3), avait été rappelée par le Deutéronome (Dt **18** 10-12) et se trouve déjà au Lévitique (Lv **19** 26, 31).

*b*) Sam et G omettent « vous vous sanctifierez ».

*c*) C'est-à-dire : vous agirez d'une manière digne du Dieu saint pour participer à sa sainteté. Cf. **11** 44 s; **17** 1.

*d*) L'appel de Dieu à cette sainteté se traduit par des préceptes concrets.

*e*) Puisqu'il a voulu priver des bénédictions de Yahvé ceux dont il tient la vie (qui est dans le sang), cette malédiction retombera sur lui. L'expression « devra mourir » n'impliquait sans doute pas à l'origine une condamnation par les hommes. En **20** 20-21, la sanction est purement divine et lorsqu'une exécution par le peuple est prescrite (v. 16), on le précise.

*f*) Ce titre est peut-être une glose (la recension lucianique du texte grec ne l'a pas). Mais on trouve titres semblables aux vv. 12 s.

¹² L'homme qui couche avec sa belle-fille : tous deux devront mourir. Ils se sont souillés *a*, leur sang retombera sur eux.

¹³ L'homme qui couche avec un homme comme on couche avec une femme : c'est une abomination *b* qu'ils ont tous deux commise, ils devront mourir, leur sang retombera sur eux.

¹⁴ L'homme qui prend pour épouses une femme et sa mère : c'est un inceste *c*. On les brûlera, lui et elles, pour qu'il n'y ait point chez vous d'inceste.

¹⁵ L'homme qui donne sa couche à une bête : il devra mourir et vous tuerez la bête.

¹⁶ La femme qui s'approche d'un animal quelconque pour s'accoupler à lui : tu tueras la femme et l'animal. Ils devront mourir, leur sang retombera sur eux.

¹⁷ L'homme qui prend pour épouse sa sœur, la fille de son père ou la fille de sa mère : s'il voit *d* sa nudité et qu'elle voie la sienne, c'est une ignominie. Ils seront exterminés sous les yeux des membres de leur peuple, car il a découvert la nudité de sa sœur et il portera *e* le poids de sa faute.

¹⁸ L'homme qui couche avec une femme pendant ses règles et découvre sa nudité : il a mis à nu la source de son sang *f*, elle-même a découvert la source de son sang, aussi tous deux seront retranchés du milieu de leur peuple.

¹⁹ Tu ne découvriras pas la nudité de la sœur de ta mère

---

*a)* Ce crime est rattaché aux fautes commises par un mélange de sang interdit (**18** 23).

*b)* La sodomie s'oppose directement à la fécondité, donc à Dieu.

*c)* Cf. **18** 17 et **19** 29.

*d)* Il y a là sans doute une addition qui précise la responsabilité de la femme. C'est le seul cas où la sanction prévue est un châtiment public.

*e)* Sam et G ont le pluriel.

*f)* L'époque des règles est celle où la source du sang, donc de la vie, se trouve particulièrement exposée : il faut alors la respecter davantage.

ni celle de la sœur de ton père. Il a mis à nu sa propre chair, ils porteront le poids de leur faute[a].

²⁰ L'homme qui couche avec la femme de son oncle paternel[b] : il a découvert la nudité de celui-ci, ils porteront le poids de leur péché et mourront sans enfant.

²¹ L'homme qui prend pour épouse la femme de son frère[c] : c'est une impureté[d], il a découvert la nudité de son frère, ils mourront sans enfant.

**C. Addition[e] sur le pur et l'impur.**

²² Vous garderez toutes mes lois, toutes mes coutumes, et vous les mettrez en pratique; ainsi ne vous vomira pas le pays où je vous conduis pour y demeurer. ²³ Vous ne suivrez pas les lois des nations que je chasse devant vous car elles ont pratiqué toutes ces choses et je les ai prises en dégoût. ²⁴ Aussi vous ai-je dit : « Vous prendrez possession de leur sol, je vous en donnerai moi-même la possession, un pays où ruissellent le lait et le miel. »

C'est moi Yahvé votre Dieu qui vous ai mis à part de ces peuples. ²⁵ Mettez donc la bête pure à part de l'impure, l'oiseau pur à part de l'impur[f]. Ne vous rendez pas vous-mêmes immondes avec ces bêtes, ces oiseaux, avec tout ce qui rampe sur le sol : je vous les ai fait mettre à part comme impurs.

---

a) Le style de ce v. tranche sur le contexte.

b) Sur l'oncle paternel, cf. p. 87, note *a*.

c) C'est sans doute le v. invoqué par saint Jean Baptiste contre Hérode Antipas (Mc **6** 18).

d) Litt. « impureté menstruelle ».

e) Elle est rédigée sous forme de conclusion. On y retrouve le vocabulaire du ch. **18** (cf. v. 28). Sur ces additions à la loi de sainteté inspirées par la notion de pureté, voir l'Introduction.

f) Sur ces animaux purs et impurs, cf. **11**.

**Conclusion.**       [26] Soyez-moi consacrés puisque moi, Yahvé, je suis saint[a], et je vous mettrai à part de tous ces peuples pour que vous soyez à moi.

[27] L'homme ou la femme qui parmi vous serait nécromant ou devin[b] : ils seront mis à mort, on les lapidera, leur sang retombera sur eux.

**21.** [1] Yahvé dit à Moïse :

**Sainteté du sacerdoce.**
**A. Les prêtres.**       Parle aux prêtres, enfants d'Aaron, et dis-leur :

Aucun d'eux ne se rendra impur près du cadavre[c] de l'un des siens, [2] sinon pour sa parenté la plus proche : mère, père, fils, fille, frère. [3] Pour sa sœur vierge qui reste sa proche parente[d] puisqu'elle n'a pas appartenu à un homme, il pourra se rendre impur. [4] Mari, il ne sera pas rendu impur par les siens, il se profanerait[e].

---

*a*) Le même mot hébreu signifie « sacré, consacré, saint ». Le peuple consacré au Dieu saint doit se séparer du profane, s'affranchir des fautes auxquelles s'abandonnent les nations païennes. Cette abstention du péché va devenir l'essentiel de la notion de sainteté et Paul appellera « saints » les chrétiens qui, ayant reçu par leur foi et leur baptême la grâce du Christ et l'Esprit, pratiquent la Loi résumée dans le précepte de Lv **19** 18[b] (Ga **5** 14). Le Christ transposera cette formule (cf. **20** 7) en fonction de l'idéal de perfection qu'il rend possible : « Soyez parfaits comme votre Père céleste est parfait » (Mt **5** 48).

*b*) Cette prescription additionnelle reprend **19** 31 et **20** 6 qu'elle sanctionne par la lapidation.

*c*) Le contact des morts est un contact impur dont doivent tout particulièrement s'abstenir les prêtres que leurs fonctions mettent en présence fréquente du Dieu de vie. Voir aussi Nb **6** 9; **19** 11-13; **31** 19, 24; Ez **44** 25-27; Ag **2** 13.

*d*) Le mariage fait de la femme la « chair » du mari (Gn **2** 23) et diminue en conséquence son lien avec ses parents par le sang. Cf. **18** 6 et la note.

*e*) Verset très discuté. Il s'agirait du décès de la femme ou d'un parent de celle-ci; devenu par son mariage « chair de sa femme » on peut appeler « siens » les membres du clan de sa femme. Autres traductions, peut-être préférables : « Il ne doit pas se rendre impur pour une sœur mariée », ce qui suppose une correction de texte; « Dieu (appelé ici « Baal ») ne doit

⁵ Ils ne se feront pas de tonsure sur la tête, ils ne se raseront pas le bord de la barbe et ne se feront pas d'incisions sur le corps[a]. ⁶ Ils seront consacrés à leur Dieu et ne profaneront point le nom de leur Dieu : ce sont eux en effet qui apportent les mets de Yahvé, nourriture de leur Dieu[b], et ils doivent être en état de sainteté.

⁷ Ils ne prendront pas pour épouse une femme prostituée et profanée[c], ni une femme que son mari a chassée, car le prêtre est consacré à son Dieu[d].

⁸ Tu le traiteras[e] comme un être saint car il offre la nourriture de ton Dieu. Il sera pour toi un être saint car je suis saint, moi qui vous sanctifie.

⁹ Si la fille d'un homme qui est prêtre se profane en se prostituant, elle profane son père et doit être brûlée au feu.

**B. Le grand prêtre[f].** ¹⁰ Quant au prêtre qui a la prééminence sur ses frères, lui sur la tête duquel est versé le chrême et qui reçoit l'investiture en revêtant les habits sacrés[g], il ne déliera pas ses cheveux, il ne déchirera pas

---

pas être rendu impur par les siens, il serait profané » ; la phrase serait la conclusion de tout le paragraphe. De fait au v. 7 « mari » n'est pas rendu par le mot « baal ». G a « tout à coup » (ἐξάπινα) au lieu de « baal » (mari).

*a*) Cf. **19** 27 s et la note.

*b*) Cf **1** 9 et les notes.

*c*) Allusion à la prostitution sacrée. Dans ces textes la « profanation » consiste à rendre à Yahvé un culte analogue à celui que l'on rendait aux baals impuissants, sans discerner ce qui dans les rites du temps est incompatible avec le caractère moral de Yahvé.

*d*) D'après Dt **24** 1 une répudiation suppose une ʿèrwat dâbâr, c'est-à-dire très probablement un défaut physique. Or le prêtre, une seule chair avec sa femme, doit être sans défaut (vv. 17 s).

*e*) Ce v. qui s'adresse directement à l'Israélite paraît être une insertion dans l'ensemble. Sur la sainteté, cf. **11** 44; **17** 1; **10** 7, 26.

*f*) Ce texte ne connaît pas encore le terme technique de « grand prêtre »; mais il se peut que ce terme soit venu de la formulation de notre v. 1. Sous la monarchie jusqu'au temps de Josias (2 R **22** 4, mais voir v. 10) le grand prêtre est seulement appelé *le* prêtre (2 R **12** 3; **16** 10; etc.).

*g*) Le texte a seulement « habits ». Sur cette vêture, voir **8** 7 s. La vêture des autres prêtres (**8** 13) est inconnue de notre texte.

ses vêtements, [11] il ne viendra près du cadavre d'aucun mort et ne se rendra impur ni pour son père ni pour sa mère. [12] Il ne sortira pas du lieu saint[a], de manière à ne pas profaner le sanctuaire de son Dieu, car il porte sur lui-même la consécration[b] de l'huile d'onction de son Dieu. Je suis Yahvé.

[13] Il prendra pour épouse une femme encore vierge. [14] La veuve, la femme répudiée ou profanée par la prosti-tution, il ne les prendra pas pour épouses; c'est seulement une vierge d'entre les siens qu'il prendra pour épouse : [15] il ne profanera point sa descendance lévitique[c], car c'est moi, Yahvé, qui l'ai sanctifiée[d].

**C. Empêchements au sacerdoce.**

[16] Yahvé parla à Moïse et dit :

[17] Parle ainsi à Aaron :

Nul de tes descendants, à quelque génération que ce soit, ne s'approchera pour offrir l'aliment de son Dieu s'il a une infirmité[e]. [18] Car aucun homme ne doit s'approcher s'il a une infirmité, que ce soit un aveugle ou un boiteux, un homme défiguré ou déformé, [19] un homme dont le pied ou le bras soit fracturé, [20] un bossu, un rachitique, un homme atteint d'ophtalmie, de dartre ou de plaies purulentes, ou un eunuque. [21] Nul des

---

a) L'ensemble du Temple et de ses dépendances (cf. **12** 4; Ez **48** 21).
b) La sainteté divine ainsi communiquée serait profanée si le prêtre sortait du lieu saint pour aller dans le monde profane.
c) Litt. « parmi les siens il ne profanera pas sa descendance ». La pureté et la sainteté requises par le souverain pontificat exigent que son titulaire ne devienne pas « une seule chair » avec une femme qui n'est pas de la tribu choisie : il profanerait le sanctuaire par cet apport étranger et ferait couler un sang profane dans sa descendance.
d) C'est-à-dire mise dans un ordre à part.
e) Dieu est le créateur du monde physique et doit être reconnu comme tel dans son peuple. L'infirmité du prêtre y contredirait, d'autant que selon les conceptions du Lévitique les prêtres sont les proches de Dieu, partici-pant plus étroitement à sa sainteté (**10** 3; **21** 6).

descendants d'Aaron, le prêtre, ne pourra s'approcher
pour offrir les mets de Yahvé s'il a une infirmité; il a une
infirmité, il ne s'approchera pas pour offrir la nourriture
de son Dieu.

²² Il pourra manger des aliments de son Dieu*ᵃ*, choses
très saintes et choses saintes, ²³ mais il ne viendra pas
auprès du voile et ne s'approchera pas de l'autel; il a une
infirmité et ne doit pas profaner mes objets sacrés, car
c'est moi, Yahvé, qui les ai sanctifiés*ᵇ*.

²⁴ Et Moïse le dit à Aaron, à ses fils et à tous les enfants
d'Israël.

**Sainteté**
**dans la participation**
**aux mets sacrés.**
**A. Les prêtres.**

**22.** ¹ Yahvé parla à Moïse
et dit :

² Parle à Aaron et à ses
fils : qu'ils se consacrent*ᶜ*
par les saintes offrandes des
enfants d'Israël sans profaner
mon saint nom*ᵈ*; à cause de moi ils doivent le sanctifier.
Je suis Yahvé. ³ Dis-leur :

Tout homme de votre descendance, à quelque génération que ce soit, qui s'approchera en état d'impureté des
saintes offrandes consacrées à Yahvé par les enfants
d'Israël, cet homme-là sera retranché de ma présence. Je
suis Yahvé.

⁴ Tout homme de la descendance d'Aaron qui sera

---

*a*) Sam omet « aliments de son Dieu ».

*b*) Le contact profane de cet homme porterait atteinte au caractère sacré
que la volonté de Yahvé a conféré à ces objets.

*c*) Cette « consécration » implique participation à l'éclat glorieux et à la
vie d'une divinité (Os **9** 10). L'Eucharistie, qui fait participer à la vie du
fils de Dieu, nous en donne l'idée; les offrandes du peuple, agréées par
Dieu, sont devenues saintes et sanctifient ceux qui les consomment. —
Autre traduction : « qu'ils s'abstiennent » (cf. Za **7** 3), mais seuls les
vv. suivants parlent de cas d'impureté demandant cette abstention.

*d*) Sur la théologie du nom de Yahvé, cf. **18** 21; **19** 12 (et Ez **20** 9).

atteint de lèpre ou d'écoulement[a] ne mangera pas des choses saintes avant d'être purifié. Celui qui aura touché tout ce qu'un cadavre aura rendu impur, celui qui aura émis du liquide séminal, [5] celui qui aura touché une de ces bestioles et se sera ainsi rendu impur, ou un homme qui l'aura contaminé de sa propre impureté, quelle qu'elle soit, [6] bref quiconque aura eu de tels contacts sera impur jusqu'au soir et ne pourra manger des choses saintes qu'après s'être lavé le corps avec de l'eau. [7] Au coucher du soleil il sera purifié et pourra manger ensuite des choses saintes, car c'est là sa nourriture.

[8] Il ne mangera pas de bête morte ou déchirée, il en contracterait l'impureté. Je suis Yahvé[b].

[9] Qu'ils gardent mes observances et ne se chargent pas d'un péché : ils mourraient en les profanant, c'est moi Yahvé qui les ai sanctifiées[c].

**B. Les laïcs.** [10] Aucun laïc ne mangera d'une chose sainte[d] : ni l'hôte d'un prêtre ni le serviteur à gages ne mangeront d'une chose sainte. [11] Mais si un prêtre acquiert une personne à prix d'argent, celle-ci en pourra manger comme celui qui est né dans sa maison; ils mangent en effet sa propre nourriture[e]. [12] Si la fille d'un prêtre est devenue l'épouse d'un laïc, elle ne peut

---

a) Sur ces règles, cf. ch. **11**, **13** et **15**. Peut-être ce paragraphe est-il une première rédaction de ces règles, à l'usage des seuls prêtres.

b) Cf. **7** 24; **17** 15; Ez **4** 14.

c) Cf. **21** 15, 23.

d) Les difficiles vv. de Za **14** 20 s signifient probablement qu'aux derniers temps, temps messianiques, ce privilège sacerdotal sera étendu à tout fidèle. De fait en 2 P **2** 5 l'ensemble des chrétiens est appelé « sacerdoce saint »; tous ont accès aux offrandes consacrées, à l'Eucharistie.

e) Pour se nourrir des offrandes faites à Dieu, il faut donc être à quelque titre membre de la famille sacerdotale.

manger des prélèvements sacrés[a]; [13] mais si elle est
devenue veuve ou a été répudiée et que, n'ayant pas
d'enfant, elle ait dû retourner à la maison de son père
comme au temps de sa jeunesse, elle mangera de la nourriture de son père. Nul laïc n'en mangera : [14] si un homme
mange par inadvertance une chose sainte, il la restituera
au prêtre avec majoration d'un cinquième.

[15] Ils[b] ne profaneront point les saintes offrandes qu'ont
prélevées les enfants d'Israël pour Yahvé. [16] En les mangeant ils chargeraient ceux-ci d'une faute qui obligerait à
réparation[c], car c'est moi Yahvé qui ai sanctifié ces
offrandes.

[17] Yahvé parla à Moïse et
dit :

**C. Les animaux
sacrifiés[d].**

[18] Parle à Aaron, à ses fils,
à tous les enfants d'Israël,

et dis-leur :

Tout homme de la maison d'Israël, ou tout étranger
résidant en Israël, qui apporte son offrande à titre de vœu
ou de don volontaire[e] et en fait un holocauste pour Yahvé,
[19] devra pour être agréé offrir un mâle sans défaut, taureau, mouton ou chevreau. [20] Vous n'en offrirez point qui
ait une tare, car il ne vous ferait pas agréer.

---

*a)* Cf. **7** 14, 32. Les offrandes sont considérées comme un prélèvement
sur les récoltes.

*b)* C'est-à-dire les laïcs.

*c)* Litt. « faute *âshâm* », cf. **5** 14; la faute rituelle par laquelle on a fraudé
la divinité. Yahvé ayant accepté et sanctifié ces offrandes, ce serait porter
atteinte à ses droits que de les faire consommer par quelqu'un qui n'est
pas de sa maison. Comparer le v. 14 à **5** 16.

*d)* La loi de sainteté a sa propre classification des sacrifices, différente de
celle que l'on trouve aux ch. **1**-7. Elle distingue les holocaustes (où l'animal
est entièrement consumé) et les sacrifices de communion. Mais ces deux
espèces de sacrifices peuvent être offerts à titre de vœu ou indépendamment de toute promesse antérieure. Comparer avec Am **4** 4 s et Dt **12** 6.

*e)* G ajoute « dans vos fêtes ».

²¹ Si quelqu'un offre à Yahvé un sacrifice de communion
pour s'acquitter d'un vœu ou pour faire un don volontaire,
de gros ou de petit bétail, l'animal devra, pour être agréé,
être sans défaut; il ne s'y trouvera aucune tare ᵃ. ²² Vous
n'offrirez pas à Yahvé d'animal aveugle, estropié, mutilé,
ulcéré, dartrique ou purulent ᵇ. Aucune partie de tels
animaux ne sera déposée sur l'autel à titre de mets pour
Yahvé. ²³ Tu pourras faire le don volontaire d'une pièce
naine ou difforme en gros ou en petit bétail, mais pour
l'acquittement d'un vœu elle ne sera point agréée. ²⁴ Vous
n'offrirez pas à Yahvé un animal dont les testicules soient
rentrés, écrasés, arrachés ou coupés ᶜ. Vous ne ferez pas
cela dans votre pays ²⁵ et vous n'accepterez rien de tel
de la main d'un étranger pour l'offrir comme nourriture
de votre Dieu. Leur difformité est en effet une tare et
ces victimes ne vous feraient pas agréer.

²⁶ Yahvé parla à Moïse et dit :

²⁷ Une fois né, un veau, un agneau ou un chevreau
restera sept jours auprès de sa mère ᵈ. Dès le huitième il
pourra être agréé comme mets offert à Yahvé. ²⁸ Veau ou
agneau, vous n'immolerez pas le même jour un animal
et son petit.

²⁹ Si vous faites à Yahvé un sacrifice avec louange ᵉ,
faites-le de manière à être agréés : ³⁰ on le mangera le jour

---

*a*) Voir en Ml **1** 8 les abus commis sur ce point. Sur le sacrifice de
communion, voir **3** 1; **7** 11.

*b*) Cf. **21** 18 s.

*c*) Les organes de reproduction ont une importance particulière dans
les cultes de fécondité, conservés, quoique épurés, par le yahvisme.

*d*) Pour mieux honorer la fécondité et son origine divine, les Cananéens
aimaient sacrifier à la fois l'animal et celle qui venait de l'enfanter.
Cf. Ex **23** 19.

*e*) Sur le sacrifice avec louange, cf. **7** 12 et la note. Peut-être les Cananéens se servaient-ils dans leurs rites non seulement du ferment mais de
la décomposition des viandes. Cf. **7** 15 et la note.

même sans en rien laisser jusqu'au lendemain matin. Je
suis Yahvé.

**D. Exhortation finale**[a]. ³¹ Vous garderez mes commandements et les mettrez
en pratique. Je suis Yahvé[b].
³² Vous ne profanerez pas mon saint nom, afin que je sois
sanctifié au milieu des enfants d'Israël, moi Yahvé qui
vous sanctifie. ³³ Moi qui vous ai fait sortir du pays
d'Égypte afin d'être votre Dieu, je suis Yahvé[c].

**Le rituel des fêtes
de l'année**[d] : **23.** ¹ Yahvé parla à Moïse
et dit :
² Parle aux enfants d'Israël
et dis-leur :

(Les solennités de Yahvé auxquelles vous les convoquerez, ce sont là les saintes convocations[e]).

Voici mes solennités :

**A. Le sabbat**[f]. ³ Pendant six jours on travaillera, mais le septième
jour sera jour de repos com-
plet, jour de sainte convocation, où vous ne ferez aucun
travail. Où que vous habitiez, c'est un sabbat pour Yahvé[g].

⁴ Voici les solennités de Yahvé, les saintes convocations[h]
où vous appellerez les enfants d'Israël à la date fixée :

---

a) Reprise des thèmes de **18** 3 s.

b) Sam et G^{AB} omettent « Je suis Yahvé ».

c) Semblable conclusion en **11** 45. Voir aussi **25** 38, 55; **26** 13, 45.

d) Après les conditions morales (**18-20**) et rituelles (**21-22**) des sacrifices
par lesquels le peuple s'unit à son Dieu, voici le cycle liturgique qui, tout
au cours de l'année, assure cette union.

e) Cette parenthèse est une définition, sans doute ajoutée après coup.

f) Sur le sabbat, vieille institution déjà connue de Moïse, cf. Ex **20** 8;
**23** 12; Am **8** 5; Dt **5** 12.

g) La manière dont sont rédigés les vv. 37-38 de la conclusion font
croire que le v. a été lui aussi ajouté après coup.

h) « convocations » omis par G^{AB}.

**B. La Pâque
et les Azymes**[a].

⁵ Le premier mois [b], le quatorzième jour du mois, entre les deux soirs [c], c'est Pâque pour Yahvé, ⁶ et le quinzième jour de ce mois c'est la fête des Azymes [d] pour Yahvé. Pendant sept jours vous mangerez des pains sans levain. ⁷ Le premier jour il y aura pour vous une convocation sacrée ; vous ne ferez aucune œuvre servile [e]. ⁸ Pendant sept jours vous offrirez un mets à Yahvé. Le septième jour, jour de convocation sacrée, vous ne ferez aucune œuvre servile.

**C. La première
gerbe.**

⁹ Yahvé parla à Moïse et dit [f] :

¹⁰ Parle aux enfants d'Israël, dis-leur :

Quand vous serez entrés dans le pays que je vous donne et quand vous y ferez la moisson, vous apporterez au

---

*a*) Voir en Ex **12-13** ; **23** 14 ; **34** et Dt **16** d'autres prescriptions sur ces fêtes. On trouve en Nb **28-29** un catalogue analogue qui comporte plus de précisions sur la matière des sacrifices ainsi que des fêtes supplémentaires.

*b*) C'est le mois de Nisan (mars-avril).

*c*) Expression de sens discuté. Elle signifiait peut-être à l'origine « entre le crépuscule et l'aube » et prescrivait une fête nocturne. Mais à l'époque juive on y voyait le temps qui s'écoulait, soit entre le coucher du soleil et la nuit complète (Samaritains), soit entre le déclin et le coucher du soleil (Sadducéens, Pharisiens).

*d*) Les deux fêtes que le Deutéronome (**16** 1-8) tendait à unir sont ici nettement distinguées. Une Pâque est un sacrifice nocturne accompli par des nomades au cours d'un pèlerinage ; lors de la sortie d'Égypte il a acquis une signification religieuse bien plus profonde. Les Azymes sont une fête agricole de printemps à laquelle semble lié le rite de la première gerbe, prémices des récoltes offertes à la divinité.

*e*) C'est-à-dire le gros travail manuel.

*f*) Ce nouvel oracle interrompt la liste des fêtes (qui continue au v. 16ᵃ). Le texte primitif de la loi de sainteté semble en effet avoir été complété d'après Nb **15** et **28** : le texte sera encore interpolé par d'autres oracles entre les vv. 23 et 38. La formule « où que vous habitiez » incluse dans ces oracles suggère que l'interpolation aurait été faite après la déportation. Ce sont d'ailleurs des rites fort anciens que ceux dont la mention a été ici insérée.

prêtre la première gerbe de votre moisson[a]. [11] Il l'offrira
devant Yahvé en geste de présentation[b] pour que vous
soyez agréés. C'est le lendemain du sabbat[c] que le prêtre[d]
fera cette présentation [12] et, le jour où vous ferez cette
présentation, vous offrirez à Yahvé l'holocauste d'un
agneau d'un an[e], sans défaut. [13] L'oblation[f] en sera ce
jour-là de deux dixièmes de fleur de farine pétrie à l'huile,
mets consumé pour Yahvé en parfum d'apaisement ; la
libation de vin en sera d'un quart de setier. [14] Vous ne mangerez pas de pain, épis grillés ou pain cuit[g], avant ce jour,
avant d'avoir apporté l'offrande de votre Dieu. C'est une loi
perpétuelle pour vos descendants, où que vous habitiez.

**D. La fête
des Semaines.**

[15] A partir du lendemain
du sabbat, du jour où vous
aurez apporté la gerbe de présentation, vous compterez
sept semaines complètes. [16] Vous compterez cinquante
jours jusqu'au lendemain du septième sabbat[h] et vous
offrirez alors à Yahvé une nouvelle oblation. [17] Vous

---

*a*) Probablement la moisson des orges (Josèphe, Philon), la plus précoce
des céréales.

*b*) Cf. **7** 30.

*c*) Donc un jour non chômé, sans doute le premier jour de la moisson.
On a discuté sur le sabbat dont il s'agissait. A l'époque juive on finit par
y voir le premier jour des Azymes.

*d*) Primitivement c'est l'offrant lui-même qui faisait la présentation. De
même, en comparant Dt **26** 4, 10, on voit que le souci d'une stricte observance de la loi de Yahvé obligea à élargir le rôle du prêtre.

*e*) Litt. « fils de l'année », expression de sens discuté. La tradition juive
comprenait « né dans l'année ». Il y a peut-être là un vestige des temps
nomades, car les troupeaux mettent bas dans le désert pendant la courte
saison printanière : on offre à la divinité un animal de la dernière portée.
D'autres comprennent « de plus d'un an » : un animal pleinement formé.

*f*) C'est l'oblation qui accompagne l'holocauste. Cf. Nb **15** 4.

*g*) Sur ces termes difficiles, voir **2** 14.

*h*) Ce jour est celui de la Pentecôte. Primitivement fête du début de la
moisson des blés, cette fête se chargea peu à peu d'un sens religieux plus
profond et sera liée au souvenir du don de la Loi au Sinaï.

apporterez de vos demeures du pain à offrir en geste de présentation, en deux parts de deux dixièmes de fleur de farine cuite avec du ferment, à titre de prémices pour Yahvé. ¹⁸ Vous offrirez en plus du pain sept agneaux d'un an, sans défaut, un taureau et deux béliers* à titre d'holocauste pour Yahvé, accompagnés d'une oblation et d'une libation, mets consumés en parfum d'apaisement pour Yahvé. ¹⁹ Vous ferez aussi avec un bouc un sacrifice pour le péché et avec deux agneaux nés dans l'année un sacrifice de communion*. ²⁰ Le prêtre les offrira en geste de présentation devant Yahvé, en plus du pain des prémices. En plus des deux agneaux*, ce sont choses saintes pour Yahvé, qui reviendront au prêtre.

²¹ Ce même jour vous ferez une convocation; ce sera pour vous une convocation sacrée, vous ne ferez aucune œuvre servile. C'est une loi perpétuelle pour vos descendants, où que vous habitiez.

²² Lorsque vous ferez la moisson dans votre pays, tu ne moissonneras pas jusqu'à l'extrême bord de ton champ et tu ne ramasseras pas la glanure de ta moisson*. Tu abandonneras cela au pauvre et à l'étranger. Je suis Yahvé votre Dieu.

**E. Le premier jour du septième mois.**

²³ Yahvé parla à Moïse et dit : ²⁴ Parle aux enfants d'Israël, dis-leur :

Le septième mois, le premier jour du mois*, il y aura

---

a) Sam et G ajoutent « sans défaut ».

b) G ajoute « en plus du pain de prémices ».

c) « En plus des deux agneaux » fait difficulté. C'est sans doute un rappel de la part du prêtre sur les animaux offerts en sacrifice de communion. Cf. **7** 19 s.

d) Cf. **19** 9 s.

e) Le premier jour du mois (lunaire), la néoménie, fut longtemps fête

pour vous jour de repos, appel en clameur[a], convocation
sacrée. [25] Vous ne ferez aucune œuvre servile et vous
offrirez un mets[b] à Yahvé.

[26] Yahvé parla à Moïse et
dit :

**F. Le jour
des Expiations**[c].

[27] D'autre part, le dixième
jour de ce septième mois,
c'est le jour des Expiations. Il y aura pour vous une
convocation sacrée. Vous jeûnerez et vous offrirez un mets
à Yahvé. [28] Ce jour-là vous ne ferez aucun travail, car
c'est le jour des Expiations où l'on accomplit sur vous le
rite d'expiation devant Yahvé votre Dieu. [29] Oui, quiconque ne jeûnera pas ce jour-là sera retranché des siens ;
[30] quiconque fera un travail ce jour-là, je le supprimerai du
milieu de son peuple. [31] Vous ne ferez aucun travail, c'est
une loi perpétuelle pour vos descendants, où que vous
habitiez. [32] Ce sera pour vous un repos sabbatique. Vous
jeûnerez ; le soir du neuvième jour du mois, depuis ce soir
jusqu'au soir suivant, vous cesserez le travail.

[33] Yahvé parla à Moïse et
dit :

**G. La fête
des Tentes**[d].

[34] Parle aux enfants d'Israël, dis-leur :

---

chez les Israélites comme chez les Cananéens (1 S **20** 5, 24 ; Is **1** 13 ;
Am **8** 5). Notre rituel n'a conservé que la plus importante, celle du septième mois, qui fut longtemps le premier mois de l'année.

*a)* L'appel paraît avoir été fait à la voix avant d'avoir été fait à son de
cor. Nb **10** 10 donne un sens spirituel à cet appel.

*b)* Au lieu de « mets », G a « holocauste ».

*c)* Pour plus de détails, voir **16** et Nb **29** 7-11.

*d)* Ou « Tabernacles ». Ce ne sont pas de vraies tentes, mais des huttes
de feuillage, peut-être celles que l'on préparait pour s'abriter dans les
champs pendant les récoltes et les vendanges. Cette fête s'appelait primitivement « fête de la Récolte » (Ex **23** 16 ; **34** 22). Le Deutéronome lui
donne le même nom que la loi de sainteté. Les Nombres (**29** 12-34) et
Ézéchiel (**45** 25) ne lui donnent pas de nom.

Le quinzième jour de ce septième mois il y aura pendant sept jours la fête des Tentes pour Yahvé. [35] Le premier jour, jour de convocation sacrée, vous ne ferez aucune œuvre servile. [36] Pendant sept jours vous offrirez un mets à Yahvé. Le huitième jour il y aura pour vous une convocation sacrée, vous offrirez un mets à Yahvé. C'est jour de réunion, vous ne ferez aucune œuvre servile.

**Conclusion.** [37] Telles sont les solennités de Yahvé où vous convoquerez les enfants d'Israël, convocations sacrées destinées à offrir des mets à Yahvé, holocaustes, oblations, sacrifices, libations, selon le rituel propre à chaque jour, [38] outre les sabbats de Yahvé, les présents, dons votifs et volontaires que vous ferez à Yahvé.

**Reprise sur la fête des Tentes[a].** [39] D'autre part, le quinzième jour du septième mois, lorsque vous aurez récolté les produits du pays, vous célébrerez la fête de Yahvé pendant sept jours. Le premier et le huitième jour il y aura repos complet. [40] Le premier jour vous prendrez de beaux fruits, des rameaux de palmier, des branches d'arbres touffus et des saules de rivière, et vous vous réjouirez pendant sept jours en présence de Yahvé votre Dieu. [41] Vous célébrerez ainsi une fête pour Yahvé sept jours par an[b]. C'est une loi perpétuelle pour vos descendants.

C'est au septième mois que vous ferez cette fête. [42] Vous habiterez sept jours dans des huttes. Tous les citoyens d'Israël habiteront sous des huttes, [43] afin que vos descendants sachent que j'ai fait habiter sous des huttes les

---

a) Voir p. 106, note *f*.
b) G omet cette phrase.

enfants d'Israël quand je les ai fait sortir du pays d'Égypte[a].
Je suis Yahvé votre Dieu.

⁴⁴ Et Moïse décrivit aux enfants d'Israël les solennités
de Yahvé.

**24.** ¹ Yahvé parla à Moïse et dit :

**Prescriptions rituelles
complémentaires.

A. La flamme
permanente.**

² Commande aux enfants d'Israël de t'apporter de l'huile vierge pour le candélabre[b], et d'y faire monter une flamme permanente. ³ C'est devant le voile du Témoignage[c], dans la Tente de Réunion, qu'Aaron disposera cette flamme. Elle sera là devant Yahvé du soir au matin, en permanence. Ceci est une loi perpétuelle pour vos descendants : ⁴ Aaron disposera les lampes sur le candélabre pur, devant Yahvé, en permanence[d].

**B. Les gâteaux
sur la table d'or.**

⁵ Tu prendras de la fleur de farine et tu en feras cuire douze gâteaux, chacun de deux dixièmes. ⁶ Puis tu les placeras en deux rangées de six sur la table pure[e] qui est

*a)* De même que la Pâque et les Azymes évoquaient la sortie d'Égypte, que la Pentecôte finalement rappela le Sinaï, l'auteur inspiré a rattaché cette fête cananéenne au souvenir du séjour au désert, grand souvenir religieux et proprement yahviste. Mais dans cette rédaction de la loi de sainteté comme dans le Deutéronome, c'est une fête joyeuse qui n'est pas marquée par un rituel proprement lévitique comme dans la rédaction des vv. 34-36.

*b)* Sur ce « candélabre » ou « chandelier », cf. Ex 25 31. Ce chandelier à sept branches, emmené par Titus lors de la prise de Jérusalem, fut représenté à Rome sur son arc de triomphe; on peut encore l'y voir. — Le même mot veut dire à la fois « flamme » et « lampe ». Il y a à la fois combustion et symbole de lumière. Voir aussi Ex 27 20 s; Lv 6 5-6.

*c)* Voir p. 80, note *a*.

*d)* Sam et G ajoutent « jusqu'au matin ». — G a le verbe au pluriel.

*e)* « Pure » rituellement. D'autres : « d'or pur ». De même au v. 4. — Sur cette table placée dans le Saint, devant le Saint des Saints, voir Ex 25 23; 1 R 7 48.

devant Yahvé. ⁷ Sur chaque rangée tu déposeras de l'encens pur*ᵃ*. Ce sera l'aliment offert en mémorial*ᵇ*, un mets pour Yahvé. ⁸ C'est chaque jour de sabbat qu'en permanence*ᶜ* on les disposera devant Yahvé. Les enfants d'Israël les fourniront à titre d'alliance perpétuelle; ⁹ ils appartiendront à Aaron et à ses fils, qui les mangeront en un lieu sacré, car c'est pour lui une part très sainte des mets de Yahvé. C'est une loi perpétuelle.

**Blasphème et loi du talion*ᵈ*.** ¹⁰ Le fils d'une Israélite, mais dont le père était égyptien, sortit de sa maison et, se trouvant au milieu des enfants d'Israël, il se prit de querelle dans le camp avec un homme qui était israélite. ¹¹ Or le fils de l'Israélite blasphéma le Nom*ᵉ* et le maudit. On le conduisit alors à Moïse (le nom de la mère était Shelomit, fille de Dibri, de la tribu de Dan). ¹² On le mit sous bonne garde pour n'en décider que sur l'ordre de Yahvé.

¹³ Yahvé parla à Moïse et dit :

¹⁴ Fais sortir du camp celui qui a prononcé la malédiction. Tous ceux qui l'ont entendu poseront leurs mains sur sa tête et toute la communauté le lapidera*ᶠ*. ¹⁵ Puis tu parleras ainsi aux enfants d'Israël :

Tout homme qui maudit son Dieu portera le poids de son péché. ¹⁶ Qui blasphème le nom de Yahvé devra

---

*a*) G ajoute « et du sel ».

*b*) Sur le mémorial, cf. **2** 2 et l'Introduction.

*c*) Cette offrande perpétuellement renouvelée est signe de la durée de l'alliance. Dans les rites primitifs celle-ci se renouvelait par des banquets sacrés dans l'enceinte divine.

*d*) Ce paragraphe interrompt le cours des prescriptions rituelles.

*e*) Comme à l'époque juive, l'auteur ne veut pas écrire le nom de « Yahvé ». Sur le respect du nom de Dieu, cf. Ex **22** 27.

*f*) Sur l'imposition des mains, cf. **1** 4 et **16** 21. Certains ne voient ici qu'une attestation solennelle de témoins (cf. Dn **13** 34). Il semble plutôt que le rite s'inspire de celui du bouc émissaire.

mourir, toute la communauté le lapidera. Qu'il soit étranger ou citoyen, il mourra s'il blasphème le Nom.

¹⁷ Si un homme frappe*ᵃ* un être humain, quel qu'il soit, il devra mourir.

¹⁸ Qui frappe un animal en doit donner la compensation : vie pour vie.

¹⁹ Si un homme blesse un compatriote, comme il a fait on lui fera : ²⁰ fracture pour fracture, œil pour œil, dent pour dent. Tel le dommage que l'on inflige à un homme, tel celui que l'on subit : ²¹ qui frappe un animal en doit donner compensation*ᵇ* et qui frappe un homme doit mourir. ²² La sentence sera chez vous la même, qu'il s'agisse d'un citoyen ou d'un étranger, car je suis Yahvé votre Dieu*ᶜ*.

²³ Moïse ayant ainsi parlé aux enfants d'Israël, ils firent sortir du camp celui qui avait prononcé la malédiction et ils le lapidèrent. Ils accomplirent ainsi ce que Yahvé avait commandé à Moïse.

**Les années saintes*ᵈ*.**

**A. L'année sabbatique*ᵉ*.**

**25.** ¹ Yahvé parla à Moïse sur le mont Sinaï; il dit : ² Parle aux enfants d'Israël, dis-leur :

---

**24** 16. « *le Nom* » Sam ; « *un nom* » H ; « *le nom de Yahvé* » G.

---

*a)* Il s'agit de coups mortels. Cf. **21** 12. Ces vv. reprennent les anciennes prescriptions du code de l'alliance (Ex **21** 12, 20, 24) dans le but d'assimiler le simple résidant à l'Israélite (16ᵇ, 20ᵇ-22).

*b)* G omet « qui frappe un animal en doit donner compensation ».

*c)* Cette formule marque bien que Yahvé est le Dieu de tous et que sa loi vaut pour tous.

*d)* Après cette précision importante, v. 22, qui fait de Dieu le législateur de la Terre Promise et de tous ses habitants (et pas seulement de ceux qui ont une ascendance israélite), l'auteur va conclure cette législation de sainteté par un texte qui affirme la souveraine propriété de Dieu sur la Terre Sainte, c'est la loi de l'année sainte.

*e)* L'année sabbatique est une très ancienne institution (Ex **23** 11) qui remonte au temps où la richesse était essentiellement pastorale. Les pro-

Lorsque vous entrerez au pays que je vous donne, la terre chômera un sabbat pour Yahvé. ³ Pendant six ans tu ensemenceras ton champ, pendant six ans tu tailleras ta vigne et tu en récolteras les produits. ⁴ Mais en la septième année la terre aura son repos sabbatique, un sabbat pour Yahvé : tu n'ensemenceras pas ton champ et tu ne tailleras pas ta vigne, ⁵ tu ne moissonneras pas tes épis, qui ne seront pas mis en gerbe, et tu ne vendangeras pas tes raisins, qui ne seront pas émondés *a*. Ce sera pour la terre une année de repos. ⁶ Le sabbat même de la terre vous nourrira *b*, toi, ton serviteur, ta servante, ton journalier, ton hôte, bref ceux qui résident chez toi. ⁷ A ton bétail aussi et aux bêtes de ton pays tous ses produits serviront de nourriture.

**B. L'année du jubilé.** ⁸ Tu compteras sept semaines d'années, sept fois sept ans, c'est-à-dire le temps de sept semaines d'années, quarante-neuf ans. ⁹ Le septième mois, le dixième jour du mois vous ferez retentir le son de la trompe; le jour des Expiations vous sonnerez de la trompe dans tout le pays. ¹⁰ Vous déclarerez sainte cette cinquantième année et proclamerez l'affranchissement *c* de

---

duits du sol n'étant qu'une richesse accessoire, le propriétaire devait en faire abandon à Dieu, maître du sol et de ses produits, chaque septième année. C'était une sorte de tribut, reconnaissant que toute fécondité procède du Dieu d'Israël; celui-ci d'ailleurs donnait ces produits aux pauvres de son peuple. Le Deutéronome étendit cette disposition aux dettes (Dt **15**). Les esclaves aussi devaient être libérés (Ex **21** 2 s) mais cette disposition n'était guère appliquée (Jr **34**). 1 M **6** 49-53 atteste l'observance de l'année sabbatique.

*a*) Litt. « tu ne moissonneras pas tes épis dispersés et tu ne vendangeras pas tes raisins qui auront poussé librement ».

*b*) Le législateur songe au lait et au miel de la Terre Promise (Ex **3** 8), biens messianiques par excellence (Is **7** 22). La tribu des Rékabites au temps de Jérémie (Jr **35** 8 s) n'en voulait pas d'autres.

*c*) Cf. Jr **34** 8. Cette mesure donne peut-être quelques éclaircissements sur la loi. On peut en effet interpréter celle-ci de deux manières : 1. n'y

tous les habitants du pays. Ce sera pour vous un jubilé[a] :
chacun de vous rentrera dans son patrimoine, chacun de
vous retournera dans son clan. [11] Cette cinquantième année
sera pour vous une année jubilaire : vous ne sèmerez pas,
vous ne moissonnerez pas les épis qui n'auront pas été mis
en gerbe, vous ne vendangerez pas les ceps qui auront
poussé librement. [12] Le jubilé sera pour vous chose sainte,
vous mangerez des produits des champs.

[13] En cette année jubilaire vous rentrerez chacun dans
votre patrimoine. [14] Si tu vends ou si tu achètes à ton compatriote, que nul ne lèse son frère[b] ! [15] C'est en fonction du
nombre d'années écoulées depuis le jubilé que tu achèteras
à ton compatriote; c'est en fonction du nombre d'années
productives qu'il te fixera le prix de vente. [16] Plus sera
grand le nombre d'années, plus tu augmenteras le prix,
moins il y aura d'années, plus tu le réduiras, car c'est un
certain nombre de récoltes qu'il te vend. [17] Que nul d'entre
vous ne lèse son compatriote, mais aie la crainte de ton
Dieu, car c'est moi Yahvé votre Dieu.

[18] Vous mettrez en pratique mes lois et mes coutumes,
vous les garderez pour les mettre en pratique, et ainsi vous

---

voir qu'une construction théologique du temps de l'exil; c'est l'opinion la
plus courante; 2. la considérer comme un supplément de la législation
sur la libération de l'esclave hébreu. On avait certainement songé à l'appliquer lors de la réforme de Josias, mais on avait dû se heurter à des considérations économiques qui sans doute eurent leur part dans l'échec de la
tentative racontée en Jr 34. La loi du jubilé serait un effort pratique
destiné à donner aux affranchis des possibilités d'existence autonome. On
ne pouvait songer à les réintégrer dans leurs propriétés tous les 7 ans, d'où
le rythme adopté de 50 ans.

*a*) Jubilé vient de *yobél,* sans doute le bélier, puis la corne de bélier
utilisée comme trompette. Sur cette année, voir Is **61** 1 s et le rappel qu'en
fait notre Seigneur en Mt **11** 5 s. L'Église romaine depuis Boniface VIII a
repris cette institution sous forme d'année sainte ou jubilaire, qui donne
périodiquement (actuellement 25 ans) à la chrétienté l'occasion d'obtenir
une indulgence plénière, sorte de *restitutio in integrum* dans l'ordre spirituel.

*b*) Cette loi assure l'équité des transactions en même temps qu'elle lutte
contre l'accaparement des terres dénoncé par Is **5** 8 et Mi **2** 2.

habiterez dans le pays en sécurité. [19] La terre donnera son fruit, vous mangerez à satiété et vous habiterez en sécurité[a].

**Garantie divine.** [20] Pour le cas où vous diriez : « Que mangerons-nous en cette septième année si nous n'ensemençons pas et ne récoltons pas nos produits ? » — [21] j'ai prescrit à ma bénédiction de vous être acquise la sixième année en sorte qu'elle assure des produits pour trois ans[b]. [22] Quand vous sèmerez la huitième année vous pourrez encore manger des produits anciens jusqu'à la neuvième année; jusqu'à ce que viennent les produits de cette année-là vous mangerez des anciens[c].

**Conséquences de la sainteté a) du pays : rachat des propriétés.** [23] La terre ne sera pas vendue avec perte de tout droit, car la terre m'appartient et vous n'êtes pour moi que des étrangers et des hôtes. [24] Pour toute propriété foncière vous laisserez un droit de rachat sur le fonds. [25] Si ton frère tombe dans la gêne et doit vendre de son patrimoine, son plus proche parent[d] viendra chez lui exercer son droit de rachat sur ce qu'a vendu son frère. [26] Celui qui n'a personne pour exercer ce droit pourra, lorsqu'il aura trouvé de quoi faire le rachat, [27] calculer les années

*a*) Par leurs idées, leur style et leur vocabulaire, ces deux vv. amorcent le ch. **26**. Au v. 20 commence un autre développement, plus juridique, plus précis, plus théorique aussi. Sans doute est-ce là une addition à la loi de sainteté dans le genre de celles que nous avons déjà rencontrées.

*b*) Trois ans : l'année sabbatique, l'année jubilaire et celle qui la suit alors que l'on ne dispose pas encore de la récolte semée en automne.

*c*) G a « des anciens d'anciens ».

*d*) Litt. « son plus proche goêl » (vengeur du sang), protecteur attitré d'un homme tant pour le venger que pour le soutenir. Cf. Rt **4** 1-12.

que devrait durer l'aliénation, restituer à l'acheteur[a] le montant du temps encore à courir, et rentrer dans son patrimoine. [28] S'il ne trouve pas de quoi opérer cette restitution, le fonds vendu restera à l'acquéreur jusqu'à l'année jubilaire. C'est au jubilé que celui-ci en sortira pour rentrer dans son propre patrimoine.

[29] Si quelqu'un vend une maison d'habitation dans une ville enclose d'une muraille[b], il aura droit de rachat jusqu'à l'expiration de l'année qui suit la vente[c]; son droit de rachat est limité à l'année [30] et, si le rachat n'a pas été fait à l'expiration de l'année, cet immeuble urbain en ville close sera la propriété de l'acquéreur et de ses descendants à l'exclusion de tout autre droit : il n'aura pas à en sortir au jubilé. [31] Mais les maisons des villages non enclos de murailles seront considérées comme sises à la campagne, elles comporteront droit de rachat et l'acquéreur en devra sortir au jubilé.

[32] Quant aux villes des lévites, aux immeubles des villes que ceux-ci possèdent, elles comportent à leur profit un droit de rachat perpétuel[d]. [33] Et si c'est un lévite qui subit l'effet du droit de rachat, il quittera au jubilé le bien vendu pour retourner à sa maison, à la ville où il a un titre de propriété[e]. Les maisons des villes des lévites sont en effet

---

a) Litt. « restituer le surplus à l'homme auquel il a vendu ».

b) La loi ne s'applique aux biens urbains que d'une manière limitée. De fait en sociologie c'est plutôt à propos de terrains de pâture et de biens ruraux que l'on constate l'existence de propriété collective. Il y aurait là un indice que cette loi du Lévitique n'était pas création pure mais avait une amorce dans la survivance d'anciennes propriétés collectives.

c) G omet « qui suit la vente ».

d) Le caractère sacré des villes lévitiques est ainsi assuré : de non-lévites ne pourront y acquérir de droit stable. A l'époque judaïque le cadre lévitique est le seul qui sauvegarde la nationalité d'Israël, d'où la nécessité d'en protéger l'indépendance. Sur ces villes, voir Nb **35** 1-8 ; Jos **21** ; Ez **48** 13-14.

e) En suivant le texte hébreu que lisait le traducteur grec (*bytw ʿyr* au lieu de *byt wʿyr*). Le cas prévu (une insertion semble-t-il) est celui d'un

leur propriété au milieu des enfants d'Israël, [34] et les
champs de culture dépendant de ces villes ne pourront pas
être vendus, car c'est leur propriété pour toujours.

[35] Si ton frère qui vit avec
    b) **du peuple :**              toi tombe dans la gêne et
**prêt et affranchissement.** s'avère défaillant dans ses
                                  rapports avec toi[a], tu le sou-
tiendras à titre d'étranger ou d'hôte et il vivra avec toi.
[36] Ne lui prends ni travail ni intérêts, mais aie la crainte
de ton Dieu et que ton frère vive avec toi. [37] Tu ne lui
donneras pas d'argent pour en tirer du profit ni de la
nourriture pour en percevoir des intérêts : [38] je suis Yahvé
votre Dieu qui vous ai fait sortir du pays d'Égypte pour
vous donner le pays de Canaan, pour être votre Dieu.

[39] Si ton frère tombe dans la gêne alors qu'il est en
rapports avec toi et s'il se vend à toi[b], tu ne lui imposeras
pas un travail d'esclave; [40] il sera pour toi comme un
salarié ou un hôte[c] et travaillera avec toi jusqu'à l'année
jubilaire. [41] Alors il te quittera, lui et ses enfants, et il
retournera dans son clan, il rentrera dans la propriété de
ses pères. [42] Ils sont en effet mes serviteurs, eux que j'ai
fait sortir du pays d'Égypte, et ils ne doivent pas se
vendre comme un esclave se vend. [43] Tu n'exerceras pas

---

lévite achetant à un autre lévite. Dans ce cas la vente est considérée comme
valide (réserve faite du jubilé) tandis qu'est nulle toute vente faite à un
non-lévite. D'autres comprennent qu'il s'agit du cas où le lévite n'exerce
pas le droit de rachat.

*a*) « Avec toi » implique des rapports d'affaire. Ces vv. limitent les effets
d'un juridisme exagéré entre membres de la communauté religieuse
de Yahvé.

*b*) Assouplissement des règles du code de l'alliance (Ex **21** 2 s) et du
Deutéronome (Dt **15** 12-18), qui répondaient à un état économique et
social différent. Le serviteur ne quitte son maître qu'après 50 ans (au
lieu de 7), mais il a un statut d'associé et non d'esclave.

*c*) Dans ces textes l'hôte est assimilé au résidant; c'est le non-Juif établi
en Palestine. Cf. v. 45 et Ex **12** 48.

sur lui un pouvoir arbitraire[a] mais tu auras la crainte de
ton Dieu.

⁴⁴ Les serviteurs et servantes que tu auras viendront
des nations qui vous entourent; c'est d'elles que vous
pourrez acquérir serviteurs et servantes. ⁴⁵ De plus vous
en pourrez acquérir parmi les enfants des hôtes qui
résident chez vous ainsi que de leurs familles qui vivent
avec vous et qu'ils ont engendrées sur votre sol : ils
seront votre propriété ⁴⁶ et vous les laisserez en héritage
à vos fils après vous pour qu'ils les possèdent à titre de
propriété perpétuelle. Vous les aurez pour esclaves[b], mais
sur vos frères, les enfants d'Israël, nul n'exercera un
pouvoir arbitraire[c].

⁴⁷ Si l'étranger ou celui qui est ton hôte atteint une certaine aisance alors que ton frère, dans ses rapports avec lui,
tombe dans la gêne et se vend à cet étranger, à cet homme
qui réside chez toi, ou au descendant de la famille d'un
résidant, ⁴⁸ il jouira d'un droit de rachat, vente faite, et
l'un de ses frères pourra le racheter[d]. ⁴⁹ Pourront le racheter son oncle paternel, le fils de son oncle ou l'un des
membres de sa famille; ou, s'il en a les moyens, il pourra
se racheter lui-même. ⁵⁰ En accord avec celui qui l'a
acquis, il fera le compte des années comprises entre l'année
de la vente et l'année jubilaire; le montant du prix de
vente sera évalué au prorata des années, en comptant ses
journées comme celles d'un salarié. ⁵¹ S'il reste encore
beaucoup d'années à courir, c'est en fonction de leur

---

a) Sur ce terme, cf. Ex **1** 14 et Ez **34** 4.
b) G omet « Vous les aurez pour esclaves ».
c) Dans les rapports entre Juifs et non-Juifs, cette législation admet le
statut ordinaire de l'esclave dans l'Antiquité. Mais à l'intérieur d'Israël,
au nom de l'Alliance divine, un autre statut s'impose. Le N. T. fait entrer
les autres peuples dans cette Alliance.
d) Voir une application en Ne **5** 8.

nombre qu'il remboursera comme valeur de son rachat une
partie de son prix de vente. 52 S'il ne reste que peu d'années
à courir jusqu'au jubilé, c'est en fonction de leur nombre
qu'il calculera ce qu'il remboursera pour son rachat,
53 comme s'il était salarié à l'année[a]. On ne le traitera pas
arbitrairement sous tes yeux[b].

54 S'il n'a été racheté d'aucune de ces manières, c'est en
l'année jubilaire qu'il s'en ira, lui et ses enfants avec lui.
55 Car c'est de moi que les enfants d'Israël sont les serviteurs ; ce sont mes serviteurs que j'ai fait sortir du pays
d'Égypte. C'est moi Yahvé votre Dieu[c].

**Résumé. Conclusion.**  26.  1 Vous ne vous ferez
pas d'idoles, vous ne vous
dresserez ni statue ni stèle,
vous ne mettrez pas dans votre pays des pierres peintes[d]
pour vous prosterner devant elles, car c'est moi Yahvé qui
suis votre Dieu. 2 Vous garderez mes sabbats[e] et révérerez
mon sanctuaire[f]. Je suis Yahvé.

**Bénédictions[g].**  3 Si vous vous conduisez
selon mes lois, si vous gardez
mes commandements et les
mettez en pratique, 4 je vous donnerai en leur saison les

---

*a*) On rattache ces mots au v. 52, avec G. Litt. « Tel un salarié, année
par année, ce sera avec lui ». Pour le sens de la phrase, cf. v. 50[b]. Tel
celui du salarié, son travail représente une valeur proportionnelle au
nombre d'années.

*b*) Cette conclusion est identique à celle des paragraphes précédents.
Yahvé est le seul maître des Israélites et de leur pays.

*c*) Cf. **11** 45 et **22** 33.

*d*) Cf. Ez **8** 12.

*e*) Au lieu de « sabbats » Syr a « commandements ».

*f*) Même formule en **19** 30. Ce ch. commence par un rappel bref du
caractère propre de Yahvé. On trouve le vrai Dieu non dans des images
ou des reproductions mais au sanctuaire qu'il a choisi et aux fêtes qu'il a
fixées. Sur l'importance donnée au sabbat, cf. Gn **1** ; Jr **17** 19-27 ; Ez **20** 12.

*g*) Comme le Deutéronome (**28**), cette loi de sainteté se termine par des
bénédictions et des malédictions.

pluies qu'il vous faut[a], la terre donnera ses produits et l'arbre de la campagne ses fruits, [5] vous battrez jusqu'aux vendanges et vous vendangerez jusqu'aux semailles[b]. Vous mangerez votre pain à satiété et vous habiterez dans votre pays en sécurité.

[6] Je mettrai la paix dans le pays et vous dormirez sans que nul vous effraie. Je ferai disparaître du pays les bêtes néfastes. L'épée ne traversera pas votre pays[c]. [7] Vous poursuivrez vos ennemis qui succomberont devant votre épée[d]. [8] Cinq d'entre vous en poursuivront cent, cent en poursuivront dix mille, et vos ennemis succomberont devant votre épée.

[9] Je me tournerai vers vous, je vous ferai croître et multiplier, et je maintiendrai avec vous mon alliance[e].

[10] Après vous être nourris de la précédente récolte, vous aurez encore à mettre dehors du vieux grain pour faire place au nouveau[f].

[11] J'établirai ma demeure au milieu de vous[g] et je ne vous rejetterai pas. [12] Je vivrai au milieu de vous, je serai pour vous un Dieu et vous serez pour moi un peuple[h]. [13] C'est moi Yahvé votre Dieu qui vous ai fait sortir du pays d'Égypte pour que vous n'en fussiez plus les serviteurs; j'ai brisé les barres de votre joug et je vous ai fait marcher la tête haute.

---

a) Cf. Ez **34** 26.

b) Cf. Am **9** 13.

c) Cf. Ez **14** 17. — « L'épée ne traversera pas votre pays » est à la fin du v. 5 dans G.

d) Cf. Dt **28** 7.

e) Cf. 1 R **3** 8.

f) Cf. **25** 22.

g) Thème central de cette loi de sainteté qui n'insiste pas seulement sur le caractère moral du Dieu d'Israël, mais sur sa présence surnaturelle. Cf. Ez **48** 35. Voir aussi Dt **4** 7 et dans le N. T. Jn **1** 14; 2 Co **6** 16; Ap **21** 3. — Au lieu de « ma demeure » G[AB] a « mon alliance ».

h) Cf. Ez **36** 28.

**Malédictions**[a].

[14] Mais si vous ne m'écoutez pas et ne mettez pas en pratique tous ces commandements, [15] si vous repoussez mes lois, rejetez mes coutumes et rompez mon alliance en ne mettant pas en pratique tous mes commandements, [16] j'agirai de même, moi aussi, envers vous.

Je vous assujettirai au tremblement[b], ainsi qu'à la consomption et à la fièvre[c] qui usent les yeux et épuisent le souffle. Vous ferez de vaines semailles dont se nourriront vos ennemis. [17] Je me tournerai contre vous et vous serez battus par vos ennemis. Vos adversaires domineront sur vous[d] et vous fuirez alors même que personne ne vous poursuivra.

[18] Et si malgré cela vous ne m'écoutez point, je continuerai à vous châtier au septuple pour vos péchés. [19] Je briserai votre orgueilleuse puissance, je vous ferai un ciel de fer et une terre d'airain; [20] votre force se consumera vainement, votre terre ne donnera plus ses produits et l'arbre de la campagne ne donnera plus ses fruits[e].

[21] Si vous vous opposez à moi et ne consentez pas à m'écouter, j'accumulerai sur vous ces plaies au septuple pour vos péchés. [22] Je lâcherai contre vous les bêtes sauvages[f] qui vous raviront vos enfants, anéantiront votre bétail et vous décimeront au point que vos chemins deviendront déserts.

[23] Et si cela ne vous corrige point, et si vous vous

---

*a*) Comparer les malédictions prophétiques, Am **4** 6-12; Is **5** 8-23, et dans le N. T. Mt **23** 13-39; Lc **6** 24-26.

*b*) Au lieu de « tremblement » Sam a « maladie ».

*c*) Cf. Dt **28** 22.

*d*) Au lieu de « domineront sur vous » G a « vous poursuivront ».

*e*) Sur le pouvoir de Dieu sur la nature, cf. Jr **5** 24 s; **14** 1-9; Dt **11** 17.

*f*) Cf. Ez **14** 15 et 2 R **17** 25.

opposez toujours à moi, ²⁴ je m'opposerai*ᵃ*, moi aussi, à
vous, et de plus je vous frapperai, moi, au septuple pour
vos péchés. ²⁵ Je ferai venir contre vous l'épée qui vengera
l'Alliance*ᵇ*. Vous vous grouperez alors dans vos villes,
mais j'enverrai la peste au milieu de vous et vous serez
livrés au pouvoir de l'ennemi. ²⁶ Quand je vous retirerai
la baguette de pain*ᶜ*, dix femmes pourront vous cuire ce
pain dans un seul four, c'est à poids compté qu'elles vous
rapporteront ce pain, et vous mangerez sans vous rassasier.

²⁷ Et si malgré cela vous ne m'écoutez point et que vous
vous opposiez à moi, ²⁸ je m'opposerai à vous avec fureur,
je vous punirai, moi, au septuple pour vos péchés. ²⁹ Vous
mangerez la chair de vos fils et vous mangerez la chair de
vos filles*ᵈ*. ³⁰ Je détruirai vos hauts lieux, j'anéantirai vos
autels à encens*ᵉ*, j'entasserai vos cadavres sur les cadavres
de vos idoles*ᶠ* et je vous rejetterai. ³¹ Je ferai de vos villes
une ruine*ᵍ*, je dévasterai vos sanctuaires et ne respirerai
plus vos parfums d'apaisement*ʰ*. ³² C'est moi qui dévasterai le pays et ils en seront stupéfaits, vos ennemis venus
l'habiter ! ³³ Vous, je vous disperserai parmi les nations.
Je dégainerai contre vous l'épée pour faire de votre pays

---

**26** 31. « *vos sanctuaires* »; *de nombreux Mss hébr., Sam et Syr ont le singulier.*

---

*a*) G ajoute « avec colère ».
*b*) Ézéchiel (**21** 14 s) a tout un développement sur cette épée de Yahvé
dirigée contre Israël coupable.
*c*) Litt. « Je vous romprai la baguette de pain ». Sur cette image de
famine, cf. Ps **105** 16; Ez **4** 16. Peut-être à l'origine cette expression vou-
lait-elle seulement dire « donner à manger, rompre le pain ».
*d*) Sur ces châtiments terribles, cf. Lm **2** 20; **4** 10; Ez **5** 10.
*e*) D'autres voient dans ce mot hébreu, *ḥammânîm,* des obélisques ou
des symboles solaires. Pour tout ce v., cf. Ez **6** 4-5.
*f*) Il s'agit probablement ici de statues osiriaques; Osiris était, comme
d'autres dieux, un dieu de végétation dont on célébrait annuellement
la mort.
*g*) Comp. Lm **2** 5; Jr **22** 5; Ez **6** 1-7.
*h*) Cf. **1** 9 et la note.

une lande et de vos villes une ruine. ³⁴ C'est alors que le pays acquittera ses sabbats, pendant tous ces jours de désolation[a], alors que vous serez dans le pays de vos ennemis. C'est alors que le pays chômera et pourra acquitter ses sabbats. ³⁵ Il chômera durant tous les jours de la désolation, ce qu'il n'avait pas fait à vos jours de sabbat quand vous y habitiez[b]. ³⁶ Chez ceux d'entre vous qui survivront, je ferai venir la peur dans leur cœur[c]; quand ils se trouveront dans le pays de leurs ennemis, poursuivis par le bruit d'une feuille morte[d], ils fuiront comme on fuit devant l'épée et ils tomberont alors que nul ne les poursuivait. ³⁷ Ils trébucheront l'un sur l'autre comme devant une épée, et nul ne les poursuit ! Vous ne pourrez tenir devant vos ennemis, ³⁸ vous périrez parmi les nations et le pays de vos ennemis vous dévorera. ³⁹ Ceux qui parmi vous survivront dépériront dans les pays de leurs ennemis à cause de leurs fautes; c'est aussi à cause des fautes de leurs pères[e], jointes aux leurs, qu'ils dépériront. ⁴⁰ Ils confesseront alors leurs fautes et celles de leurs pères, fautes commises par fraude envers moi, mieux, par opposition contre moi.

⁴¹ Moi aussi je m'opposerai à eux et je les mènerai au pays de leurs ennemis[f]. Alors leur cœur incirconcis s'humiliera, alors ils expieront leurs fautes. ⁴² Je me rappellerai

---

*a*) Au lieu de « désolation » *šammâh,* Sam a « dette » ( ?) *ašmâh.* De même au v. 43.

*b*) Il y a une allitération voulue entre « vos jours de sabbats » (*šabbᵉtotêkèm*) et « vous habitiez » (*šibtᵉkèm*).

*c*) Cf. Ez **21** 22.

*d*) Litt. « emportée » par le vent.

*e*) La doctrine de la responsabilité individuelle telle que l'expose Ézéchiel (**18**) ne paraît pas encore connue. Voir aussi Ez **4** 17.

*f*) Cette reprise des vv. 24 et 28 introduit une perspective de conversion. Les vv. 40, 41ᵇ, 44 et 45 paraissent interpolés dans le texte primitif. Il se pourrait que ce fût une addition faite par un disciple d'Ézéchiel (cf. Ez **16** 60 s; **20** 9, 13, 16, 24).

mon alliance avec Jacob ainsi que mon alliance avec Isaac
et mon alliance avec Abraham, je me souviendrai du pays.

⁴³ Abandonné d'eux, le pays acquittera ses sabbats
lorsqu'il restera désolé, eux partis *a*. Mais ils devront, eux,
expier leur faute, puisqu'ils ont rejeté mes coutumes et
pris mes lois en dégoût.

⁴⁴ Cependant ce ne sera pas tout : quand ils seront dans
le pays de leurs ennemis, je ne les rejetterai pas *b* et ne les
prendrai pas en dégoût au point d'en finir avec eux et de
rompre mon alliance avec eux, car je suis Yahvé leur
Dieu. ⁴⁵ Je me souviendrai en leur faveur de l'alliance
conclue avec les premières générations que j'ai fait sortir
du pays d'Égypte, sous les yeux des nations, afin d'être
leur Dieu, moi, Yahvé.

⁴⁶ Telles sont les coutumes, les règles et les lois *c*
qu'établit Yahvé, entre lui et les Israélites, sur le mont
Sinaï, par l'intermédiaire de Moïse.

## APPENDICE

### TARIFS ET ÉVALUATIONS *d*

A. **Personnes.**

**27.** ¹ Yahvé parla à Moïse
et dit :
² Parle aux enfants d'Is-
raël, dis-leur :

---

*a*) Ou « à cause d'eux ».

*b*) Mêmes perspectives au ch. **4** du Deutéronome (vv. 29-31). Voir
aussi Lm **3** 21 s, 31 s; **5** 21 s.

*c*) G lit « les coutumes et la loi ».

*d*) Ce ch. se présente comme une addition. Il est conçu dans le
même esprit juridique que certains passages relatifs au jubilé (**25** 23 s;

Si quelqu'un veut s'acquitter envers Yahvé du vœu qu'il a fait de la valeur d'une personne[a],

[3] un homme entre vingt et soixante ans sera estimé à 50 sicles d'argent[b], — sicle du sanctuaire, — [4] pour une femme l'estimation sera de 30 sicles;

[5] entre cinq et vingt ans, le garçon sera estimé à 20 sicles et la fille à 10 sicles[c];

[6] entre un mois et cinq ans, le garçon sera estimé à 5 sicles d'argent et la fille à 3 sicles d'argent;

[7] à soixante ans et au-dessus, l'homme sera estimé à 15 sicles et la femme à 10 sicles.

[8] Si celui qui a voué est incapable de faire face à cette estimation, il présentera la personne au prêtre. Celui-ci fera l'estimation, mais il la fera en proportion des ressources de celui qui a voué[d].

**B. Animaux.**  [9] S'il s'agit d'animaux dont on peut faire offrande à Yahvé, tout animal que l'on donne à Yahvé sera chose consacrée. [10] On ne pourra ni le changer ni le remplacer[e], mettre un bon pour un mauvais ou un mauvais pour un bon. Si l'on substitue un animal à un autre, l'un et l'autre seront choses consacrées.

---

voir aussi **5** 15 s). Les sanctuaires sémitiques étaient souvent obligés pour des raisons pratiques de recourir à semblables tarifications (tarif phénicien dit de Marseille). Il y a dans de pareils textes une sécheresse toute administrative, nécessaire pour éviter tout arbitraire et tout abus.

*a*) On pouvait vouer une personne. Ainsi leurs parents vouèrent la fille de Jephté (Jg **11** 30 s) et le petit Samuel (1 S **1** 11). Notre texte prévoit en pareil cas une équivalence en argent. — Autres législations sur les vœux : **7** 16; **22** 21; Nb **30** 3 s, et Dt **12** 6 s; **23** 19.

*b*) En Ex **21** 32, l'esclave est évalué à 30 sicles. Sur la valeur du sicle sacré, cf. **5** 15 et la note.

*c*) G a « et la femme à 14 sicles ».

*d*) Mêmes mesures en faveur des indigents en **5** 7 s.

*e*) Une chose consacrée l'est définitivement, mais le v. 13 en admet le rachat. Le cas est assimilé purement et simplement au délit commis en matière d'offrandes saintes; cf. **5** 15 s.

¹¹ S'il s'agit d'un animal impur dont on ne peut faire offrande à Yahvé, quel qu'il soit, on le présentera au prêtre ¹² et celui-ci en fera l'estimation, le jugeant bon ou mauvais; on s'en tiendra à son estimation, ¹³ mais si l'on veut le racheter, on majorera cette estimation d'un cinquième.

**C. Maisons.** ¹⁴ Si un homme consacre sa maison à Yahvé, le prêtre en fera l'estimation, la jugeant de grande ou de faible valeur. On s'en tiendra à l'estimation du prêtre, ¹⁵ mais si cet homme qui a voué la maison la veut racheter, il majorera cette estimation d'un cinquième et elle lui reviendra.

**D. Champs.** ¹⁶ Si un homme consacre à Yahvé l'un des champs de son patrimoine*a*, l'estimation en sera faite au prorata de son produit*b* à raison de 50 sicles d'argent pour un muid d'orge.

¹⁷ S'il consacre le champ pendant l'année jubilaire, on s'en tiendra à cette estimation; ¹⁸ mais s'il le consacre après le jubilé, le prêtre en calculera le prix au prorata des années restant à courir jusqu'à celle du jubilé et une déduction sera faite sur l'estimation.

¹⁹ S'il veut racheter le champ, il majorera l'estimation d'un cinquième et le champ lui reviendra. ²⁰ S'il ne le rachète pas mais le vend à un autre*c*, le droit de rachat

*a*) Litt. « une partie du champ de sa propriété ».
*b*) D'autres : au prorata de la semence nécessaire pour sa superficie, mais voir v. 30 Le « muid » (*homer*) vaut 364 litres.
*c*) Hypothèse à première vue curieuse. Mais il faut se rappeler que les choses ne sont consacrées qu'en valeur, le propriétaire n'en perd pas la possession; mais le législateur ne veut pas que la compensation en argent soit un moyen d'obtenir des sommes supplémentaires avec un bien donné par Dieu (selon sa conception de la Terre Sainte).

s'éteint; [21] quand à l'année jubilaire l'acquéreur devra l'abandonner, ce sera chose consacrée à Yahvé, tel un champ dévoué par anathème : la propriété de cet homme passe au prêtre.

[22] S'il consacre à Yahvé un champ qu'il a acquis mais qui ne fait pas partie de son patrimoine[a], [23] le prêtre en calculera le prix d'estimation en fonction du temps à courir jusqu'à l'année jubilaire, et l'homme en versera le montant ce jour même à titre de chose consacrée à Yahvé. [24] Lors de l'année jubilaire le champ fera retour au vendeur, à celui dont c'est la propriété dans le pays. [25] Toute estimation sera faite en sicles du sanctuaire, 20 géras valant un sicle[b].

**Règles particulières pour le rachat :**
**a) des premiers-nés.**

[26] Nul, toutefois, ne pourra de son bétail consacrer un premier-né qui de droit appartient à Yahvé; gros ou petit bétail, il appartient à Yahvé. [27] Mais si c'est un animal impur on pourra le racheter au prix d'une estimation majorée d'un cinquième[c]; s'il n'est pas racheté l'animal sera vendu au prix de l'estimation[d].

**b) de l'anathème[e].**

[28] Cependant rien de ce qu'un homme dévoue par anathème à Yahvé ne peut être vendu ou racheté, rien de ce qu'il peut posséder en hommes, bêtes ou champs patrimoniaux. Tout anathème

---

a) Dans ce cas on ne voue qu'une propriété temporaire.
b) Sur le sicle, cf. p. 35, note g.
c) G précise « et il lui appartiendra ». De même au v. 31.
d) L'animal impur ne peut être sacrifié; le versement en argent est alors nécessaire. Sur le rachat des premiers-nés, cf. **13** 11 s.
e) Par extension d'un terme de la guerre sainte (Jos **6** 17, etc.), on déclare « anathème » ce qu'on voue absolument à Dieu, cf. v. 21; Nb **18** 14; Ez **44** 29.

est chose très sainte qui appartient à Yahvé. [29] Aucun être humain dévoué par anathème ne pourra être racheté[a], il sera mis à mort.

c) **des dîmes.**

[30] Toute dîme du pays prélevée sur les produits de la terre ou sur les fruits des arbres appartient à Yahvé; c'est une chose consacrée à Yahvé. [31] Si un homme veut racheter une partie de sa dîme[b], il en majorera la valeur d'un cinquième.

[32] En toute dîme de gros et de petit bétail, sera chose consacrée à Yahvé le dixième de tout ce qui se passe sous la houlette[c]. [33] On ne triera pas le bon et le mauvais[d], on ne fera pas de substitution : si l'on en fait une, l'animal et son remplaçant seront choses consacrées[e] sans possibilité de rachat.

[34] Tels sont les commandements que Yahvé prescrivit à Moïse sur le mont Sinaï à l'intention des enfants d'Israël[f].

---

*a*) Le but n'est pas de faire mourir ces gens, mais de les faire respecter par leur maître. Il ne faut pas que celui-ci n'y voie qu'une valeur marchande. C'est dans le même esprit que Nb **35** 31 interdit toute compensation en cas de meurtre. On évitera de plus ainsi des anathèmes non réfléchis.

*b*) Dt **14** 25 prévoit aussi un acquittement en argent de l'offrande de la dîme. Le développement d'une économie monétaire s'est ici encore accentué, tout en laissant un certain caractère de pénalité à la conversion en argent.

*c*) La dîme du bétail est inconnue par ailleurs, sauf en 2 Ch **31** 6. Mais le Deutéronome (**12** 6, 11, 17; **14** 22 s) semble assimiler plus ou moins la dîme des produits végétaux et l'offrande des premiers-nés du bétail. Nb **18** 21 s distingue dîme et prémices et fait de la première une sorte d'impôt au profit du clergé. Le prophète Malachie rappelle qu'il n'en faut pas diminuer la quotité (Ml **3** 8-10). Notre v. y assujettit le bétail.

*d*) Cf. Ml **1** 8.

*e*) Cf. v. 10.

*f*) Cette conclusion reprend celle du ch. **26**, mais dans un style différent. De plus ce n'est pas au nom de l'Alliance que sont prescrits ces commandements, mais en vertu du seul décret divin.

# TABLE

ACHEVÉ D'IMPRIMER SUR LES
PRESSES DE L'IMPRIMERIE
DARANTIERE A DIJON, LE
VINGT-NEUF MARS M.CM.LVIII

Numéro d'édition 4.873
Dépôt légal 2ᵉ trimestre 1958

19231